VOCÊ JÁ TEVE UMA FAMÍLIA?

A marca FSC® é a garantia de que a madeira utilizada na fabricação do papel deste livro provém de florestas que foram gerenciadas de maneira ambientalmente correta, socialmente justa e economicamente viável, além de outras fontes de origem controlada.

BILL CLEGG

# Você já teve uma família?

*Tradução*
Rubens Figueiredo

Copyright © 2015 by Bill Clegg
Direitos mundiais reservados a Bill Clegg

Grafia atualizada segundo o Acordo Ortográfico da Língua Portuguesa de 1990, que entrou em vigor no Brasil em 2009.

Título original
Did You Ever Have a Family?

Capa
Elisa von Randow

Foto de capa
Paul Taylor/ Getty Images

Preparação
Leny Cordeiro

Revisão
Nana Rodrigues
Márcia Moura

Dados Internacionais de Catalogação na Publicação (CIP)
(Câmara Brasileira do Livro, SP, Brasil)

Clegg, Bill
    Você já teve uma família? / Bill Clegg ; tradução Rubens Figueiredo. — 1ª ed. — São Paulo : Companhia das Letras, 2016.

    Título original: Did You Ever Have a Family?
    ISBN 978-85-359-2726-9

    1. Ficção norte-americana I. Título.

16-03167                                           CDD-813

Índice para catálogo sistemático:
1. Ficção : Literatura norte-americana 813

[2016]
Todos os direitos desta edição reservados à
EDITORA SCHWARCZ S.A.
Rua Bandeira Paulista, 702, cj. 32
04532-002 — São Paulo — SP
Telefone: (11) 3707-3500
Fax: (11) 3707-3501
www.companhiadasletras.com.br
www.blogdacompanhia.com.br
facebook.com/companhiadasletras
instagram.com/companhiadasletras
twitter.com/cialetras

*Para Van e para nossas famílias*

*Você devia ter ouvido*
   *como ele falava,*
      *sua voz era*
*inesquecível, irresistível, sua voz*
*era um jardim imaginário entretecido com perfume.*

*Você já teve uma família?*
            *Os olhos deles estão fechados.*
*É assim que sei*
   *que estamos*
      *dentro,*
*ela é feita de som e de vapor*
*que tece e permeia a escura*
*sala de jantar, a cozinha iluminada.*
*Estamos lá porque estou com fome,*
*e logo iremos comer juntos,*
*e a fome é doce.*

                    Alan Shapiro, "Canto e dança"

# Silas

Ele acorda com o barulho das sirenes. Muitas, altas e bem próximas. Depois, buzinas: grunhidos curtos, irritados, como as campainhas que anunciam os intervalos nas partidas de basquete a que ele assiste na escola, mas não joga. Seu celular diz seis e onze da manhã, mas o térreo da casa está desperto, barulhento, e pelo timbre particular da voz matinal e rouca de sua mãe, audível por cima das vozes do pai e das irmãs, percebe que tem alguma coisa errada.

Antes de chutar o cobertor para o lado, Silas apanha a mochila amarela que está embaixo da cama. Pega o *bong* vermelho e pequeno, que seu amigo Ethan lhe deu de aniversário de quinze anos no mês passado, junto com um saco de maconha que ele fumou em menos de uma semana, a maior parte durante o trabalho enquanto arrancava ervas daninhas em canteiros de flores e jardins de nova-iorquinos ricos. Escolhe um broto verde dentro do pequeno pote de plástico cinzento onde guarda seu estoque, divide-o cuidadosamente ao meio, entre o polegar e o indicador, e comprime a parte maior dentro do fornilho de metal. Pega a garrafa com água pela metade que está na sua mesinha de cabeceira e entorna alguns centímetros dentro do *bong*, antes de acender. Quando inala, percebe que a fumaça rodopia na direção de sua boca, se adensa dentro do tubo vermelho e se curva lentamente, como um lençol que se retorce embaixo da água. Quando quase todo o broto já se transformou em cinza, ele puxa o vapor de dentro do *bong* e deixa que a fumaça entre nos pulmões. A água borbulha na base do *bong* e ele é cuidadoso ao inalar com delicadeza, a fim de minimizar o barulho. Abre a janela, empurra a cortina e se inclina para fora, exalando uma baforada espessa, carregada.

Observa a fumaça flutuar na sua frente, ser colhida pelo vento e desaparecer. Sente o ar frio no rosto e no pescoço e espera que a maconha produza sua magia. O céu está rosado e azul-claro e ele acompanha a longa trilha deixada pelos motores de um avião, no alto, até ela desaparecer por trás do telhado da garagem. Os riscos estão diluídos e vagos, e assim ele acha que o avião deve ter passado horas atrás, antes de o dia nascer. Para onde?, pensa ele, enquanto a droga começa a lubrificar seus pensamentos.

Abaixo dele, quatro corvos parrudos pousam sem elegância no gramado. Ele os observa saltitar, andar e encolher as asas em seus corpos de peito amplo. São do tamanho de gatos domésticos, pensa ele, enquanto acompanha seus movimentos rápidos e mecânicos. Após um tempo, e sem nenhum motivo aparente, param e ficam absolutamente imóveis. Não consegue enxergar seus olhos, mas sente que estão olhando para ele. Também olha para os corvos. Balançam a cabeça para lá e para cá, como se tentassem entender o que estão vendo. O vento, por trás, arrepia suas penas e, depois de alguns saltinhos, eles voam. No ar, parecem ainda maiores, e pela primeira vez se pergunta se não podem ser gaviões ou abutres. Então, como que curados da mudez, pássaros de todos os tipos grasnam, piam e gorjeiam de todas as direções.

Com o susto, Silas bate a nuca no alto da janela. Esfrega com a mão o local da pancada e se inclina mais ainda para fora. Outra sirene, diferente das outras — mais estridente, mais irritada —, berra à distância. Ele tenta localizar os corvos que sumiram no complicado céu da manhã. Em vez disso, o que encontra são formas familiares nas linhas e nas ondulações: um par de gigantescos seios inflados, óculos escuros de gatinho, um pássaro feroz de asas grandes. Depois vê algo que não se parece com nada senão aquilo que é: fumaça, negra como carvão, e grossa, subindo por trás da linha do telhado. De início, pensa que sua casa está pegando fogo, mas quando se debruça para fora e olha para trás, dá para ver que a fumaça vem de trás das árvores, do outro lado da propriedade. Então, sente o cheiro — o fedor oleoso de um fogo que queima outra coisa além de madeira. Também dá para sentir o paladar e, quando Silas inala, aquele cheiro se mistura com o cheiro da maconha, que perdura em sua língua e em sua garganta. Os pássaros fazem mais barulho. Guinchando, berrando o que parecem palavras. Xô! Vão embora! Ele pensa, ele ouve, mas sabe que é impossível. Pisca, os olhos abrem e fecham, ele tenta processar tudo: a fumaça, o cheiro, os pássaros, as sirenes, o céu maravilhoso. Será que está sonhando? Será que isso é um pesadelo? Será que é a maconha? Comprou o fumo com a Tess, na vendinha da fazenda, subindo a estrada, e o dela costuma ser suave, diferente daqueles brotos que batem muito forte e que ele e os amigos vão comprar em Yonkers, que fica a uma hora de carro para o sul. Gostaria que fosse um pesadelo ou uma alucinação, mas sabe que está acordado e que o que vê é a realidade.

Na linha das árvores do outro lado da casa, a fumaça jorra para o céu como a poluição que sai de uma chaminé de desenho animado. Dá uma baforada e descansa, dá outra baforada e descansa. Depois, uma nuvem terrível, maior que as outras, infla a partir da mesma fonte invisível. É densa, preta que nem carvão, e ligeiramente prateada nas bordas. À medida que sobe, expande-se num cinza-esverdeado e depois se dissolve num tufo comprido e arqueado, que aponta para o outro lado do céu, como um dedo indicador.

Silas recua da janela. Ainda vestindo os shorts e a camiseta da noite anterior, ele calça ligeiro seu velho tênis de corrida New Balance, cinza e branco, o mesmo que usa quando faz serviços de paisagismo ou ajuda o pai a empilhar lenha. Olha para o espelho acima da cômoda e vê que os olhos estão rosados, ligeiramente protuberantes, e que as pupilas estão dilatadas. O cabelo louro-escuro, que há quatro dias não é lavado, está desarvorado e oleoso, colado à cabeça em certos pontos e eriçado, em outros. Passa desodorante nas axilas e põe o boné de esqui Mohawk Mountain, preto, de veludo cotelê. Toma de um gole o resto de água na garrafa junto à cama e enfia na boca umas pastilhas de chiclete Big Red. Apanha a mochila amarela e embrulha o *bong*, o isqueiro e o pequeno pote de plástico. Esfrega os olhos com os punhos, respira fundo, expira e parte na direção da porta do quarto.

O polegar e o indicador agarram a maçaneta e ele se lembra da noite anterior, onde estava e o que aconteceu. Recua, recapitula seus últimos movimentos antes de dormir, repassa todos de uma só vez, e depois de novo, para se certificar de que não é um sonho o que está recordando. Reflete e depois descarta a possibilidade de fumar mais uma vez no *bong* antes de sair do quarto. Fica parado, fala consigo num sussurro. Estou bem. Tudo está bem. Não aconteceu nada.

No térreo, o iPhone da mãe toca com inocência, como um telefone antigo. Ela atende ao terceiro toque e a casa fica em silêncio. Os únicos sons são as sirenes incansáveis, as buzinas grunhindo e o remoto zumbido das pás de um helicóptero que palpitam no ar. Da cozinha, o pai grita seu nome. Silas deixa a porta para trás.

# June

Ela vai embora. Se enfia na caminhonete Subaru e rola por essas estradas rurais esburacadas e sinuosas, até que acha uma rodovia e vira para o oeste e para longe. Vai continuar avançando pelo tempo e pela distância que for possível seguir sem passaporte, já que o que tinha não existe mais. Sua carteira de motorista, junto com tudo o que havia na casa, se foi há muito tempo, mas ela imagina que não vai precisar de nada daquilo, a menos que seja detida por excesso de velocidade. Não planejou ir embora naquela manhã específica, mas depois que acorda e toma banho e veste o jeans e a blusa de algodão de listras brancas e azuis e de decote canoa que vinha usando havia semanas, ela sabe que está na hora.

Lava e enxuga a caneca de café lascada, a tigela de cerâmica e a velha colher de prata que usa desde que foi para essa casa emprestada; sente o peso de cada objeto quando o coloca cuidadosamente de volta no armário ou na gaveta. Não há mala nenhuma para fazer, nada para organizar nem preparar. Tudo o que ela tem é a roupa do corpo e o casaco de linho que vestiu dezoito noites atrás, quando fugiu da casa. Quando enfia os braços devagar nas mangas surradas, tenta lembrar, antes de tudo, por que vestiu aquele casaco. Será que estava frio na cozinha? Será que havia pegado o casaco no cabideiro entupido de roupas perto da saída, antes de fugir às pressas pelo campo, tomando o maior cuidado para não acordar todo mundo no primeiro andar? Não consegue lembrar; e, quando começa a recordar os fatos daquela noite e da manhã seguinte, examinando mais uma vez cada passo, com a atenção de um perito criminal, ela se obriga a parar.

É uma sorte que tenha consigo o cartão de banco e as chaves do carro — estavam no bolso do casaco —, mas ela não se vê como uma pessoa de sorte. Ninguém se vê assim. No entanto, esses passageiros clandestinos de sua vida antiga permitem agora que ela saia da cidade, que é tudo o que quer. Não é uma inquietação nem um desejo de estar em outro lugar, mas a compreensão bruta de que seu tempo nesse lugar chegou ao fim. *Tudo bem*, exclama, como se ela se rendesse após uma discussão demorada e sem vencedores. Olha pela janela da cozinha para os lírios em flor lá fora, vermelhos e laranja, atrás dessa casa que não é sua. Aperta as mãos na beirada da pia e, no porão, com um berro rouco e comprido, a secadora de roupa que uma hora antes ela encheu de lençóis molhados dá o sinal de que cumpriu seu dever. Sente o frio da porcelana na palma das mãos. A casa, agora, sem nenhum ruído, sem nada, ninguém, parece barulhenta. Uma dor já desfeita retorna, se revira dentro do peito, arranha devagar. Lá fora, os lírios se debatem no vento da manhã.

Ela não gritou. Não nesse dia, não nos enterros, não depois. Falava pouco, tinha poucas palavras quando precisava delas, portanto só se sente capaz de fazer que sim e que não com a cabeça e despachar, com acenos de mão, os curiosos e os preocupados, como se espantasse mosquitos importunos. O chefe dos bombeiros e o policial deram mais respostas do que fizeram perguntas — o fogão antigo, o gás vazando durante a noite e enchendo, como um líquido, o andar térreo da casa, uma centelha muito provavelmente de um interruptor elétrico ou de um isqueiro, embora nada tivesse sido encontrado, a explosão, as chamas instantâneas que consumiram tudo. Não perguntaram para ela por que era a única pessoa que estava do lado de fora, às quatro e quinze da madrugada. Mas quando o policial perguntou se seu namorado, Luke, tinha algum motivo para querer fazer mal a ela ou à sua família, June se levantou e saiu do salão da igreja, onde um centro de ajuda temporário havia sido montado. Essa é a igreja onde sua filha, Lolly, iria casar naquele dia; do outro lado da estrada e à distância de uma breve caminhada da casa. Os convidados apareceram antes da uma hora, esperavam um casamento e, em vez disso, encontraram um estacionamento cheio de sedãs da polícia, ambulâncias, caminhões do corpo de bombeiros e vans da imprensa. Lembra que saiu andando da igreja na direção de sua amiga Liz, que estava à espera em seu carro. Lembra como a conversa parou e as pessoas se misturavam e recuavam meio passo para lhe abrir caminho. Ouviu chamarem seu nome — de modo tímido, hesitante —, mas não parou nem se virou para responder. Era uma intocável, sentiu isso profundamente quando chegou ao outro lado do estacionamento. Não por escárnio ou por medo, mas por causa da obscenidade da perda. Era inconsolável, e o caráter total e assombroso daquilo — todos se foram — silenciava até mesmo aqueles mais habituados com as calamidades. Podia sentir todos os olhos sobre ela quando abriu a porta do carro para entrar. Lembra que percebeu, na visão periférica, uma mulher que veio em sua direção, segurou sua mão. Sentada, ela pôde ver nitidamente, através da janela do carro, a mãe de Luke. Lydia — de peitos grandes, blusa vistosa, cabelo castanho comprido preso com descuido na cabeça. Era a segunda vez que a via naquele dia e, como antes, apesar de uma forte premência para ir a seu encontro, não conseguia de jeito nenhum encarar a mulher. *Vamos*, foi tudo o que conseguiu dizer para Liz, que sentou no banco do motorista, atônita e muda, como todo mundo no estacionamento.

A polícia nunca mais a interrogou sobre o que aconteceu naquela noite e na manhã seguinte. Amigos pararam de lhe fazer as mesmas perguntas seguras — se estava bem, se precisava de alguma coisa —, ao ver que ela não respondia. Um sorriso magro, um olhar vazio e a cabeça virada para o outro lado desanimavam até os mais persistentes. Uma locutora do noticiário da manhã foi especialmente agressiva. *As pessoas querem saber como a senhora está sobrevivendo*, disse na frente da funerária aquela mulher que desde a década de 70 aparece na televisão, mas não tem nenhuma ruga ou risco no rosto. Ninguém sobreviveu, disse June em resposta, e depois, rapidamente: Pare, e a mulher obedeceu. No fim, todo mundo que veio à cidade para o casamento de Lolly foi embora, as perguntas cessaram e ela, aos cinquenta e dois anos e pela primeira vez na vida, ficou sozinha. No decorrer daquela primeira semana e depois, ela se recusou a chorar ou a perder o controle ou a começar, de qualquer forma que fosse, um processo que a levaria a se reintegrar ao mundo novo e, agora, vazio, ou, como alguém a incentivara num bilhete bem intencionado, mas sem assinatura, que acompanhava uma das centenas de coroas de flores, a *começar de novo*.

Ela abotoa o casaco e começa a fechar e trancar as janelas do pequeno sítio emprestado por uma pintora de quem, um dia, ela foi representante. *Pelo tempo que precisar*, disse Maxine naquele dia pelo celular de Liz, *a casa é sua*. Maxine estava em Minneapolis, onde se encontrava quando tudo aconteceu. Como havia descoberto tão depressa e sabia o que era necessário, June ainda ignorava. Algumas pessoas, concluiu ela, sobem à tona magicamente nesses momentos horríveis e sabem exatamente o que fazer, que espaços devem preencher. O sítio ficava no outro lado de Wells, a mesma cidadezinha, em Litchfield County, Connecticut, onde ficava sua casa, aonde ela fora todo fim de semana durante dezenove anos e onde morara em definitivo nos últimos três anos. A casinha empoeirada de Maxine fica longe e é desconhecida o suficiente para que aquelas semanas sejam suportáveis. O fato de nada poder ser suportável era uma revelação vergonhosa, repetida a cada minuto. Como vim parar aqui? Para quê? Ela permite essas perguntas, mas mantém outras à distância. É mais seguro fazer as perguntas para as quais não tem resposta.

Não admitiu que a levassem ao hospital municipal nem aceitou tomar sedativos ou estabilizadores de humor que as poucas pessoas à sua volta sugeriram com insistência, se oferecendo para pedir uma receita a algum médico. Não há nada para ser estabilizado, pensa ela. Não há motivo para ficar estável. No sítio onde ela, todos os dias, dormia até depois de meio-dia e depois saía da cama e ia para a cadeira da cozinha, para o sofá e no fim voltava outra vez para a cama. Ela ocupava o espaço, suportava cada minuto, até que o minuto seguinte chegasse, e depois o próximo.

Desliga o interruptor da luz da cozinha, tranca a porta da frente e coloca a chave embaixo do vaso de gerânios, tombado na beira da escadinha da varanda. Sai da casa, caminha para o carro com relutância, reconhece que esses passos provavelmente são os últimos que dará no que resta de sua vida aqui. Tenta ouvir os pássaros e, ao fazer isso, se pergunta o que espera escutar. Despedidas? Maldições? Os pássaros veem tudo, pensa, e agora estão calados. Embaixo do caramanchão alto formado pelas alfarrobeiras pretas que se estendem entre a casa do sítio e a entrada da garagem onde seu carro está estacionado, há pouco barulho, exceto o suave zumbido das cigarras cansadas, que semanas atrás emergiram de seu repouso de dezessete anos para acasalarem, encherem o mundo com seu zumbido elétrico e morrerem. Sua aparição repentina pareceu um presságio maravilhoso, uma semana antes do casamento de Lolly, quando o noticiário de amenidades do início de verão parecia não ter quase nenhum outro assunto além desse. Agora, o último suspiro das cigarras parece tão conveniente quanto foi, antes, sua chegada.

June completa afoita os últimos passos e abre com um tranco a porta do motorista, antes de fechá-la com força. Remexe as chaves, de início incapaz de encontrar a certa. Olha as quatro chaves na argola como se cada uma a tivesse traído: uma para o Subaru, uma para a porta da frente da sua casa, uma para o caminhão do Luke e uma chave velha, que ela ainda guardava, da última casa alugada na cidade. Arranca todas da argola, menos a do Subaru, e joga no porta-copos junto a seu assento. Vira a chave na ignição e, quando o motor ronca e volta à vida, em redor e embaixo dela, admite mais uma vez que está desperta e no mundo, não está andando aos trambolhões no meio de um pesadelo desvairado. *Isto é o mundo*, diz para si, com um espanto amargo, enquanto toca estupefata no volante com os dedos.

Dá marcha a ré no Subaru para sair da entrada de carros, passa da ré para o D e avança lentamente pela estrada poeirenta e estreita, até tomar a rodovia 4. Enche o tanque de gasolina num posto em Cornwall e dirige até tomar a rodovia 7 para o sul, com suas descidas e curvas e seus barrancos escarpados e cheios de mato. Num trecho deserto da estrada, pega as três chaves no porta-copos, abre a janela do carona e, com um gesto ligeiro, joga as chaves fora. Fecha a janela, enfia o pé mais fundo no acelerador e passa a grande velocidade por dois cervos jovens e malhados que andam aos tropeções a alguns metros da mãe. Durante todo o tempo em que ela dirigiu entre Connecticut e Manhattan, dúzias de cervos pastavam na beira da estrada, desatentos aos carros que passavam velozes a poucos metros deles. Pensa em quantas vezes um cervo se meteu afoito no meio do tráfego e imagina quantos acidentes por muito pouco não aconteceram — com ela e com os inúmeros outros que dirigiram por essa estrada, dando graças a Deus, com um suspiro, enquanto aceleravam adiante e a salvo. Ela pensa nas almas desafortunadas que não conseguiram fugir em velocidade e as atordoantes catástrofes que aquelas criaturas maravilhosas e estúpidas devem ter causado. Acelera, ultrapassa o limite de velocidade... oitenta, noventa, cem... e enquanto a caminhonete sacode, imagina quantas pessoas na verdade já morreram ali, seus corpos arrancados do metal retorcido, carbonizados até se transformarem em objetos que não parecem mais seres humanos. As palmas das mãos ficam úmidas no volante e ela as enxuga no jeans. Seu casaco leve parece apertado e incômodo, mas ela não quer parar o carro para tirá-lo. Passa por outro grupo de cervos — uma corça e um gamo jovem com seu filhote de pernas de palito — e ao passar, ela imagina o desastre: vidro espatifado, pneus fumegantes, sobreviventes identificando os corpos. Sua respiração está acelerada e curta e ela está torrando dentro das roupas. Ao sul da aldeia de Kent, ela sai num trecho desimpedido de estrada, campos de milho de verão que se alastram em carreiras estreitas de ambos os lados. A caminhonete se aproxima dos cento e dez e as janelas trepidam nas suas roldanas. Ela imagina, com mais detalhes do que gostaria, um mar daquelas fitas amarelas que cercam o local de um crime, um carro de polícia e as luzes dos carros dos bombeiros, o brilho e a fumaça dos sinalizadores de estrada, ambulâncias em fila, com socorristas de emergência, parados inúteis ao lado.

Imagina os sobreviventes atordoados, vagando trôpegos e sem propósito. Ela circunda cada um deles, sedenta por perguntas. Quem estava dirigindo? Quem desviou os olhos exatamente na hora errada? Quem mexeu no botão do rádio em vez de ficar atento? Quem se inclinou à frente para achar uma pastilha de menta na bolsa, ou um isqueiro, e ao fazer isso perdeu todo mundo que importava? Quantos, ela se pergunta, escaparam do acidente sem nenhum arranhão ou machucado? E, desses vivos felizardos, quem se meteu numa discussão pouco antes do choque? Quem estava brigando com a pessoa amada? Quem prolongou a briga tempo suficiente para desatar as palavras irremediáveis que a pessoa sabia apenas porque recebera a confiança que lhe permitia conhecer o que era mais capaz de ferir o outro? Palavras que cortam rápido e fundo, infligem um dano que só o tempo é capaz de curar, mas agora não havia tempo nenhum. *Essas pessoas*, sussurra June, num tom entre a imprecação e o consolo. Ela pode vê-las encolhidas na beira da estrada, curvadas para a frente e sozinhas.

O suor encharca suas roupas e suas mãos tremem no volante. Um carro que vem na direção contrária pisca os faróis e ela se lembra de que uma multa por excesso de velocidade vai pôr fim à sua fuga. Não tem nenhum documento de identidade, nenhum cartão do Seguro Social nem certidão de nascimento, que seria o mínimo necessário para obter uma nova carteira de motorista. Reduz a velocidade da caminhonete para 88 e deixa passar uma picape verde. Será que o motorista viu os faróis piscarem? A julgar pela velocidade em que ia, ela duvida. Só prestamos atenção nas coisas certas quando já é tarde demais, pensa enquanto vê a picape desaparecer na curva à frente.

Abre a janela e o ar sopra por dentro do carro, gela sua pele úmida e esvoaça o cabelo louro e prateado cortado na altura do ombro, que ela prende num rabo de cavalo curto e não lava há semanas. À direita, o rio Housatonic serpenteia bem perto da estrada indomável, o sol do meio-dia rebrilha em suas correntes preguiçosas. Ela relaxa, menos por causa do frio do ar que devido à sua turbulência. Abre a janela do lado do carona e, sentindo o aumento do caos, abre as janelas de trás. A ventania explode dentro do carro. June se lembra de Lolly com seu brinquedo Traço Mágico e de como ela ficou zangada quando uma amiga sacudiu a telinha e a areia misteriosa desmanchou o desenho que ela fazia com tanto cuidado. June se lembra de Lolly gritando — gritos cortantes, ferozes, revoltados — e como ela não admitia que a consolassem ou que a tocassem. Um ano se passaria antes que Lolly deixasse aquela amiga voltar para brincar com ela. Mesmo pequena, a filha guardava rancor.

June fecha os olhos e imagina o carro batido pelo vento como um desenho feito no Traço Mágico que escorre todo para a frente, o ar violento varrendo tudo e fazendo-a desaparecer. Ouve aquele barulho singular de areia sacudida contra o plástico e o metal e, por um momento, o truque dá certo. Sua mente se esvazia. As imaginadas calamidades da estrada e seus réus, com pena de si mesmos, desaparecem. Até Lolly — o rosto furioso riscado de lágrimas — desaparece.

Ela se acomoda mais fundo no banco e reduz a velocidade do carro um pouco abaixo do limite de velocidade. Passa por uma vendinha de fazenda, uma nova farmácia CVS onde antes ficava uma locadora de vídeos, quilômetros de muros de pedra se esboroando e uma casa branca coberta de pó com a mesma placa pintada de cor-de-rosa na frente, ali desde que ela se entende por gente, CRISTAIS impresso em estêncil azul desbotado embaixo de letras pretas que dizem ROCK SHOP. Durante anos, essas eram as coisas que ela via naquele percurso — cada uma assinalava a distância entre as duas vidas que, durante tanto tempo, passavam como se fosse uma só. Ela tenta de novo invocar o Traço Mágico — dessa vez, para apagar a memória de todas as eufóricas fugas da cidade nas tardes de sexta-feira e os regressos nas noites de domingo, que sempre chegavam cedo demais, com Lolly no banco de trás, Adam na frente, dirigindo muito rápido como sempre, e June girando de um para o outro, conversando sobre professores e instrutores da escola, sobre qual filme iam ver naquela noite, o que iam comer. Aquelas viagens de carro passavam voando e eram a parte menos complicada de suas vidas. A memória delas tira seu fôlego, a deixa surpresa e com um pesar por um tempo de que quase nunca se recorda com carinho. Quem dera pudesse ter sido assim tão simples: os três dentro de um carro, voltando para casa.

O rio some de vista e ela reduz a velocidade do carro para cerca de trinta quilômetros por hora quando se aproxima do trecho de oitocentos metros que todo mundo que viaja com frequência por aquela estrada sabe que é uma armadilha de controladores de velocidade. Sai de Kent e entra em New Milford e passa pelo McDonald's que ela, por muito tempo, considerou a fronteira extraoficial entre o campo e o subúrbio. No estacionamento, crianças descem das portas abertas de uma van verde-escura, como palhaços que desembarcam de um carro cômico no picadeiro do circo, e ficam paradas com impaciência enquanto uma fila de motocicletas enfeitadas estaciona na frente. Um jovem que se exercita correndo passa por elas e um robusto cão labrador cor de chocolate acompanha com perfeição o ritmo do jovem, lado a lado. As crianças atravessam a pista na frente de um velho posto de gasolina fechado com tapumes, vazio e sem bombas. June lembra que parou ali duas, talvez três vezes, durante os anos em que dirigia por aquela estrada, mas não consegue se lembrar do posto fechando as portas. O capim brotou nas rachaduras do piso do estacionamento e ela vê o labrador circundar uma moita imunda de dentes-de-leão e capim, levantar a perna e fazer xixi. Seu dono corre parado, esperando pacientemente a alguns metros de distância.

O sinal à frente acende a luz vermelha e ela reduz até parar atrás de outra Subaru, verde-escura, mais nova, cheia do que parecem ser adolescentes. June evita olhar para eles e, em vez disso, se concentra na placa de identificação azul, de Connecticut, e nos adesivos das balsas de Nantucket colados no vidro de trás. Uma sirene que assinala o meio-dia toca num posto do corpo de bombeiros próximo. Começa baixo e suave, como uma trompa, e sobe aos poucos até virar um clamor agudo, vasto, tão alto e avassalador que June tapa os ouvidos com as finas mangas de linho do casaco. O sinal, enfim, fica verde e ela fecha todas as janelas quando isso acontece. O motorista do ônibus que está atrás toca a buzina — uma vez, delicadamente — e ela solta o pé do freio, até que o carro começa a andar.

A sirene morre. O ar dentro do carro está parado outra vez. Ela passa por restaurantes, lojas de roupas e supermercados pelos quais passou durante décadas, mas onde nunca entrou. Tabuletas com a palavra ABERTO estão penduradas nas janelas, guirlandas de bandeirolas minúsculas e coloridas tremulam ao vento, acima de uma concessionária Cadillac. Pelo espelho retrovisor, ela vê tudo isso ficar cada vez menor.

# Edith

Eles queriam margaridas em vidros de geleia. Margaridas locais em mais ou menos cinquenta vidros de geleia que haviam juntado depois que ficaram noivos. Para mim, parecia uma infantilidade, ainda mais porque June Reid não estava exatamente fazendo economia nos preparativos do casamento da filha. Mas quem sou eu para dar opinião? Margaridas em vidros de geleia está longe de ser um arranjo floral de alto nível, na verdade parece mais um serviço porco, se querem saber a verdade. Mas, afinal, trabalho é trabalho e o negócio com flores por aqui anda muito devagar, por isso a gente tem de pegar o que aparece.

Os vidros estavam na casa de June, guardados dentro de caixas, no velho galpão de pedra ao lado da cozinha. Era para eu levar as margaridas naquela manhã e arrumar tudo nas mesas embaixo da tenda armada atrás da casa, depois que as toalhas de mesa, os pratos e os talheres estivessem no lugar. Eu tinha colhido as margaridas na véspera, no campo que fica atrás da casa da minha irmã, que é coalhado de flores. Nunca fui grande fã de margaridas — sempre achei que eram mais parecidas com capim colorido do que com flores de verdade. Tudo bem que sejam baratas, mas para um casamento não são lá muito apropriadas. Rosas, lírios e crisântemos, até tulipas e lilases, caso você esteja a fim de algo menos chique — mas margaridas, não.

Lembro quando os dois chegaram à minha loja. De mãos dadas, gotejando de orvalho. Ela estava que nem a mãe, só que mais curvada. Até onde consigo lembrar, June tem um jeito mais juvenil. E ele estava muito bem, bastante simpático, eu acho, desse jeito bonito como sabem ficar os rapazes distintos que fizeram faculdade.

Eram jovens. Foi essa a impressão mais forte que deixaram em mim. Eu achava que hoje em dia não tinha mais ninguém se casando tão moço. Pelo menos, não nas famílias ricas. As garotas daqui, que engravidam sem planejamento nenhum, isso é outra história, mas uma menina do Vassar College com emprego numa revista em Nova York e um estudante de direito em Columbia, não é esse o tipo de garotos que a gente vê sair correndo para o altar, por bem ou por mal. Mas sem dúvida era bonito ver os dois juntos e tinha uma nuvem de sorte e de amor em volta deles que não só comoveu uma velha solteirona amarga que nem eu, como também me deixou bastante surpresa. Esse tipo de afeição não é uma coisa que a gente vê por aí todo dia. Os casais daqui, mesmo os jovens, vivem esgotados por dois empregos, pela escola, pelas obrigações familiares, e têm dívidas demais. E os outros, com suas hipotecas atrasadas, botijões de gás para encher, e com os filhos e as filhas saindo da escola, parando de estudar, batendo com os carros na estrada e se metendo em brigas no Tap, estão sempre cansados demais, sem falar que vivem muito ocupados nos fins de semana representando seu papel de gente alegre do campo para os mimados e exigentes nova-iorquinos, e desse jeito gastam as últimas gotas de civilidade e de paciência com esses forasteiros, e não sobra nada para suas esposas e seus maridos. O povo dos fins de semana que vem da cidade não só fica com as melhores casas, paisagens, comida e, sim, com as melhores flores que nossa cidadezinha tem para oferecer, como também toma o que a gente tem de melhor. Eles chegam no fim de toda semana, enviam mensagens pelo celular e telefonam dos trens e carros para expor suas exigências — limpar a entrada de carros, empilhar lenha, cortar grama, desentupir calhas de chuva, cuidar das crianças, comprar alimentos, fazer faxina nas casas, sacudir os travesseiros. Para alguns, chegamos a montar as árvores de Natal, depois do Dia de Ação de Graças, e desmontar depois do Ano-Novo. Eles nunca sujam as mãos com nada que nós temos de fazer nem sentem nos ombros o peso real de coisa nenhuma. A gente não suporta esse pessoal e mesmo assim são eles que nos sustentam. É uma espécie de teste de paciência que, na maioria das vezes, dá certo. Mas de vez em quando acontecem umas derrapadas. Como quando Cindy Showalter, uma garçonete do Owl Inn, cuspiu na cara de uma velha que sussurrou uma ofensa em voz baixa quando Cindy não entendeu o tipo de queijo que a mulher queria. *Quem é que já ouviu falar de um queijo explorador?!*, ela me perguntou na igreja. Balancei a cabeça e, depois, entrei na internet e descobri que existe um queijo chamado Explorateur, que tenho certeza de que nunca foi servido em nenhum restaurante por aqui. Houve também o incêndio que queimou o estábulo em Holly Farm e matou três cavalos. Ninguém nunca provou nada, mas todos sabíamos que foi o Mac Ellis, o antigo caseiro, que pôs fogo no lugar depois de ser despedido por Noreen Schiff por falsificar o valor das notas fiscais todos os meses. Fez isso durante anos, ao que parece, e a contadora da patroa lá em Nova York finalmente descobriu. Ele nunca foi preso, mas a história se espalhou e ele perdeu alguns empregos. Há um bocado de ressentimento fervilhando por baixo dos sorrisos e dos *que bom ver o senhor, não tem problema ne-*

*nhum e é uma alegria poder ajudar* ditos nesta cidade. Portanto, quando alguém sai da linha, a coisa pode ficar feia.

Muita gente, as moças mais novas sobretudo, acha que June Reid saiu da linha quando inventou de namorar Luke Morey. O pessoal sempre falava muito dele. Era bonito, posso garantir. E não é de admirar, já que o pai de Lydia no tempo dele era bonito feito o diabo, e Lydia sempre foi do jeito que os homens parecem achar uma mulher atraente. Mesmo assim, boa parte da aparência do Luke vinha do fato de ele não ser parecido com ninguém daqui. Era que nem uma orquídea selvagem que cresce num campo de feno. Ninguém nunca soube quem era seu pai, mas com certeza sabiam que era negro. Detesto dizer o que isso sugere sobre esta cidade, ou seja, que não tem quase ninguém aqui que pudesse ser o pai dele. O casal mais idoso em Bornwall, ambos já falecidos, era formado por dois cientistas aposentados, e miscigenado — ela negra, ele branco; e o filho adotivo do diretor do colégio, Seth, é negro, mas tinha só seis ou sete anos quando o Luke nasceu. Essa era a nossa cidade naquele tempo, que ninguém chegava a achar que era um lugar indecente, exceto em situações que deixavam isso claro, como quando Lydia Morey teve seu filho. Já passaram pelo menos três décadas desde que aquele garoto nasceu, mas não mudou grande coisa — pelo menos nesse assunto. Tem mais gente nos fins de semana, é claro, há menos famílias locais, que acabaram, uma a uma, vendendo suas terras, seus sítios e suas casas para o pessoal que acaba passando ali, talvez, ao todo, umas poucas semanas por ano. Sábados e domingos, uma ou duas semanas no verão. A verdade é que a maior parte das casas nesta cidade fica vazia. Piscam com os equipamentos de segurança, são esfregadas e limpas, estão entulhadas até o teto com móveis lindos, mas não tem ninguém lá dentro. Fui de carro até a South Main Street uns meses atrás — no meio da semana, nove horas da noite, depois de jantar na casa da minha irmã — e não tinha nenhuma luz acesa em lugar nenhum. A lua estava encoberta, então eu podia ver o topo das chaminés e as janelas dos sótãos, mas todas escuras, uma depois da outra, o caminho todo até o parque municipal. Naquela noite e sempre, daí em diante, me passou pela cabeça que a gente não mora mais numa cidade, pelo menos não numa cidade de verdade. A gente mora num museu muito caro, que só abre nos fins de semana, e nós somos os zeladores.

Antigamente, as casas velhas e grandes de Wells, na maioria, pertenciam e eram habitadas por famílias locais. Sei muito bem disso, porque eu mesma fui criada numa delas. É bem verdade que era a residência paroquial da igreja St. David, onde meu pai foi pastor por trinta anos, mas naquela época o emprego vinha junto com uma casa de seis quartos, com quatro lareiras e um estábulo nos fundos. Agora, tem um pastor — na verdade, uma mulher chamada Jesse, onde é que já se viu? — que divide seu tempo entre três igrejas e mora num apartamento em Litchfield. A igreja aluga a residência paroquial para uma família jovem da cidade que vem, isso mesmo, vocês já adivinharam, só nos fins de semana. Claro que eles nunca, pelo menos nenhuma vez que eu tenha visto, puseram os pés na igreja St. David. O que não é nem um pouco de admirar, porque na verdade somos só uns quinze que ainda vamos lá nos domingos de manhã. Assim como as casas em volta do parque, a velha igreja fica vazia, a não ser por umas poucas horas nos fins de semana. Meu pai se aposentou há alguns anos e morreu pouco depois, mas eu ainda vou lá todo domingo. Fiquei com a chave velha do meu pai, por isso entro lá bem cedo, arrumo no altar as flores que não foram vendidas na loja e que só servem para jogar no lixo. Dos bancos da igreja, não dá para ver as pétalas murchas.

Pode ser que alguns veteranos dos velhos tempos de St. David fiquem chocados ao descobrir que desisti de Deus há muito tempo, quando minha mãe começou a desaparecer com o Alzheimer, o jeito de partir mais vagaroso e cruel que existe. Ela começou a ir embora quando eu estava no ensino médio e morreu uma semana depois de eu completar quarenta anos. Nessa altura e por um bocado de tempo, ela ficou irreconhecível. Irritada, terrível e completamente dependente de mim. Minha irmã entrou na faculdade e eu fiquei em casa para ajudar e fazer aquilo que meu pai era orgulhoso demais e sovina demais para contratar outra pessoa para fazer. Não que eu precisasse de alguém, mas não é exatamente fácil achar um namorado, e muito menos um marido, quando a gente vive igual a uma enfermeira não remunerada, num regime de vinte e quatro horas de trabalho na casa dos pais. Não jogo meu tempo fora desejando que as coisas tivessem corrido de forma diferente, e também não finjo que, se eu tivesse rezado com mais força, a vida teria sido diferente. Agora, já faz muito tempo que me viro sozinha, sem Deus e sem marido.

 A maioria das pessoas com quem passei a infância se mudou para Torrington ou para o outro lado da divisa do estado, para Millerton ou Amenia, e até mesmo essas cidades já estão ficando caras demais. Mas tem gente que ainda consegue se enfiar em algum buraco nas beiradas da nossa cidade, se meter na periferia e ficar lá, que nem eu. Lydia Morey também conseguiu, se bem que é difícil imaginar por quê. Ela é a última de sua família por aqui, e quando falo família não estou me referindo aos Morey. Fico até admirada que ela tenha conservado esse nome. Ela é uma Hannafin e sabe muito bem disso. Quem é que vai saber o que aquela mulher tinha na cabeça, por isso sua escolha de manter esse nome não surpreende tanto assim, como também não é surpresa nenhuma ela preferir ficar mesmo por aqui, depois de ter dado à luz aquele filho negro. Quando o Luke nasceu, ficou claro para todo mundo que o marido de Lydia, Earl Morey, de cabelo ruivo e cara sardenta, não era o pai da criança. Ele juntou as trouxas da Lydia naquela mesma noite e disse para ela não voltar nunca mais. Ela saiu da maternidade direto para o sofá da casa da mãe. Na época, sua mãe ainda estava na região e acolheu os dois por um tempo, mas não escondia seu nojo. Trabalhava de caixa no banco naquele tempo e a gente podia ver como reclamava o tempo todo para os clientes, na fila do drive-thru, com qualquer um que estivesse disposto a ouvir suas queixas da filha maluca, a qual ela não tinha dúvida de que havia se metido em cultos com homens negros e Deus sabe mais o quê. Todo mundo tomava o partido do Earl, que vem de uma família grande e que está aqui desde sempre, e Lydia Morey, por um tempo, ficou tão isolada quanto é possível numa cidade de mil e quinhentos habitantes, metade dos quais nem mesmo moram aqui.

Com o tempo, a maioria das pessoas foi se aproximando. Sempre gostaram do Luke, sobretudo no tempo em que cursou o ensino médio, quando quebrou os recordes estaduais de natação e chegou, eu acho, até a ser procurado para os Jogos Olímpicos; mas a Lydia ficou solitária, a não ser por umas escolhas ruins no departamento masculino. Para ser justa, as opções são muito poucas por aqui, e a pobre mulher, bonita como era, fez o melhor que pôde. Como as opções são tão escassas, alguém como Luke Morey, quando ele enfim ajeitou a vida, acabou virando uma vaca premiada na feira para as mulheres da cidade. Sua pele era toda do pai, quem quer que fosse ele, mas tinha os olhos verdes e bem separados da mãe, assim como as maçãs do rosto. Some a isso um metro e oitenta e dois de altura e um negócio mais ou menos bem-sucedido no ramo do paisagismo, e você já tem o suficiente para virar umas cabeças por aí. A vida inteira, ele virou cabeças, mas nunca tanto quanto no tempo em que foi parar na cadeia, só por alguns meses depois do ensino médio, e depois, mais tarde, quando foi morar com June Reid, que era mais de vinte anos mais velha que ele e nova-iorquina. Desde o tempo em que o rapaz nasceu, foi o centro das atenções da cidade e, em função do que aconteceu, de como ele partiu e de quantos levou junto, vai continuar a ser assim, para sempre.

Quando fui de carro à casa de June Reid naquela manhã, com as margaridas, e vi o pesadelo que cercava sua propriedade — aquela fumaceira, a velha casa de pedra destruída pelo fogo, a tenda vazia —, nem parei o carro. Continuei dirigindo. Sem pensar, segui direto para a casa da minha irmã, onde ficamos sentadas e bebemos um bule de chá de menta colhida do jardim da casa na hora. Ela já havia sido avisada pelo telefone — por quem, não sei — e me contou o que havia acontecido. Mortos, todos eles — o jovem casal, o ex-marido de June e aquele desgraçado do Luke Morey. Por muito tempo, só ficamos as duas sentadas, olhando o vapor subir das xícaras velhas de porcelana verde-clara da nossa mãe. Mais tarde, saí pela porta dos fundos e andei pelo campo que tem atrás da casa dela. Fiquei lá durante horas, sem saber o que fazer nem aonde ir. Andei para lá e para cá no meio do capim alto e de todas aquelas margaridas horríveis, da orla da mata até a estrada, e voltava de novo, para lá e para cá, para lá e para cá, enquanto passava minhas velhas mãos enrugadas por cima daquelas plantas brilhantes e infelizes. No final, acabei entrando de novo na casa. Passei a noite lá. E a noite seguinte também.

As margaridas não foram jogadas fora. Todas foram usadas. Nunca foram parar dentro de nenhum vidro de geleia, mas acabaram entrando em mais de cem arranjos de flores fúnebres. Mesmo quando ninguém pedia — e, vamos dizer a verdade, a maioria não pediu —, eu ainda conseguia dar um jeito de usar as margaridas. Ninguém nunca me acusou de ser otária, mas quando acontece uma coisa como a que aconteceu na casa de June Reid naquela manhã, a gente logo se sente a menor pessoa e mais fraca do mundo. Sente que nada que a gente fizer tem importância. E que nada tem importância. E é por isso que, quando a gente topa com alguma coisa que pode fazer, acaba fazendo. E foi o que fiz.

# Lydia

Elas chegam antes que ela saiba que estão lá. Não tem a menor ideia de quando exatamente sentaram à mesa junto à janela, a duas mesas de distância daquela em que ela está olhando para sua xícara de café frio, mas já faz bastante tempo que pediram sopa e salada e que as xícaras de chá foram servidas. Estão atrás dela, que não pode vê-las, mas pela maneira educada como riem, sabe que estão tomando chá, e não café; sopa e salada foi o que pediram, não hambúrgueres e batatas fritas, nem bolo de carne moída. Não conhece aquelas mulheres em particular, aquelas mães, filhas e esposas, mas as conhece. Fez faxina em suas casas, levou e pegou os filhos delas em estações de trem e em outras casas onde passaram uma noite, e arrancou o capim que crescia em suas calçadas, durante a maior parte da vida. Escutou essas mulheres falarem aflitas sobre o aquecimento global, os níveis de mercúrio no atum e os pesticidas que sugam a vida das alfaces que elas espetam com seus garfos e quase não comem. Testemunhou bem de perto sua surpresa infantil e convincente com a chegada de cada inexorável triunfo e de cada fortuna caída do céu. Um inesperado bônus do marido no fim do ano, a caminhonete nova na garagem, enrolada numa fita de Feliz Natal ou Feliz Dia das Mães. O que acha mais difícil de suportar é ouvir como elas se gabam dos filhos — a admissão precoce para escolas onde é impossível entrar, as ofertas de emprego em firmas de advocacia de grande prestígio, as promoções e os prêmios, os noivados com pessoas atraentes de famílias felizes, seus casamentos.

É de um casamento que elas estão falando, agora. A que fala mais alto, que começa toda frase com *Puxa, puxa, vocês nem vão acreditar. Puxa, Carol, escute só isso. Puxa, eu nunca. Puxa, vocês conseguem imaginar?* ESCUTE SÓ O QUE VOU DIZER, ela parece ordenar toda vez que fala. Como se sua voz, dois ou três decibéis acima da barulheira e do falatório do restaurante, já não fosse o bastante para chamar a atenção. Ela tem uma filha que vai casar em Nantucket. Pela trepidação na voz, Lydia adivinha que aquele é o assunto de que a mulher mais gosta de falar. *Graças a Deus que tem aquela assessora de casamentos, vocês nem acreditam como ela é mandona, mas é um gênio com os detalhes. Chegou até a ajudar a organizar a lua de mel, um presente dos pais do noivo. Um mês na Ásia. Para ser franca, eu achei demais — tudo prontinho à espera deles, que nem um enorme prêmio de programa de televisão, logo depois do que a gente pretendia que fosse um casamento absolutamente bonito, mas de jeito nenhum um casamento de superluxo. Eles são de Nova Jersey,* explica. *Uma família italiana grande,* acrescenta, e só por via das dúvidas: *Eles não sabem fazer de outro jeito.*

E continua: *A viagem é interminável.* Sua voz é uma testa franzida, contando vantagem. *Índia, Vietnã, Tailândia,* cada nome de país se arrasta na sua língua que nem o nome das marcas de roupas caras que Lydia vê nos anúncios das grossas revistas de moda que aquelas mulheres deixam jogadas no chão do banheiro como se fossem toalhas usadas uma vez só.

Enquanto a mulher continua a falar da família do noivo — o serviço de limusines que eles possuem desde a década de 1950, seu sotaque, seu catolicismo —, Lydia olha para fora, pela janela, para o único motel da cidade, o Betsy. O letreiro é grande, de madeira, coberto de tinta branca que está rachada e descascando desde quando ela mora lá, ou seja, desde sempre. O letreiro tem um grande frontão triangular no alto, como se fosse o anúncio de uma pousada colonial chique e não um motel de tijolos brancos, de vinte e um quartos e um só andar, que fica todo fora de vista, por trás das árvores, no fim da rua. Não tem nada de chique nesse motel Betsy, exceto talvez os números dos quartos pintados da cor azul dos ovos do pintarroxo, com bordas douradas nas plaquinhas ovais penduradas em todas as portas. A mãe do proprietário se achava uma artista popular e as plaquinhas foram um presente que ela deu ao filho Tommy, quando ele inaugurou o motel no final da década de 60. Foi ele que contou a história para Lydia, certa noite no Tap, alguns anos depois de vender o motel. Lydia fez a faxina ali por seis ou sete anos, antes que os novos proprietários chegassem e contratassem mexicanos, que vinham a pé toda manhã, atravessando a divisa estadual, em Amenia ou Millerton. Ela nunca tinha falado muito com Tommy quando trabalhava para ele, nem ele falava com ela, mas depois que o tempo passou e os dois começaram a frequentar o mesmo bar, Tommy ficou tagarela. *Eu detestava aquela cor azul*, resmungou ele, depois de tomar muitos drinques e com o ar de um adolescente de sessenta e cinco anos — cabelo grisalho, manchas de velhice na pele, voz rachada, olhos azuis brilhantes, perdidos. Vestindo a mesma camisa branca de abotoar e as mesmas calças cáqui que ela lembrava que ele vestia na igreja, quando era menina. *Ela cobria tudo daquela cor azul e fazia questão de que eu colocasse suas pinturas idiotas nos quartos. Chegou até a pintar flores em algumas camas. Escolhi o nome do motel que ela suge-*

riu, achando que ela ia abrir a bolsa mais um pouquinho, mas não abriu. Era para eu viver com os lucros, só que nunca houve lucro nenhum. Ninguém vem para Wells para ficar num motel.

Todo mundo na cidade sabia que Betsy Ball, muito tempo atrás, tinha casado com o herdeiro da fortuna de um negociante de bebidas, que morreu jovem e deixou tudo para ela. Tommy morou com a mãe durante a maior parte da vida, dormia no mesmo quarto em que havia dormido quando criança, na mesma casa onde ainda continuava a morar. Lydia se perguntava se algum dia ele tinha saído daquele quarto, se pelo menos havia se mudado para outro quarto, numa outra parte daquela casa grande de tijolos, na South Main Street, depois que a mãe morreu. A não ser pelos quatro anos que passou na Pensilvânia para fazer faculdade e depois por alguns anos que ficou em Nova York, Tommy Ball nunca deixou a cidade, de fato. Nunca teve nenhuma namorada, até onde alguém conseguia lembrar, e nunca se casou. Betsy Ball via Tommy todo dia e ele tinha ódio dela, Lydia pensava. O filho tinha ódio da mãe, mas a mãe não ficou sozinha. Mesmo quando a biblioteca da cidade, para a qual ela deixou no fim bastante dinheiro, promoveu uma festa para comemorar o centésimo aniversário da mulher, o filho chegou e saiu com ela. Estava viúva e surda, na certa usava fraldas e nem sabia mais o próprio nome, mas não foi sozinha para casa naquela noite.

Sozinha e em casa é como Lydia tem vivido na maior parte do tempo, durante os últimos seis meses, desde que Luke morreu. Vai a pé à cafeteria depois do almoço quase todo dia para fazer uma pausa da televisão, que acabou virando uma espécie de emprego em horário integral. Se os programas de entrevista matinais começam sem ela, Lydia tem a sensação de que deixou um grande furo, é como se não tivesse conseguido realizar a única mísera tarefa que lhe cabe cumprir todos os dias. Não existem mais programas como aqueles antigos de Phil Donahue, que tem gente normal com problemas extraordinários. Agora, os programas são mais específicos: sobre medicina, alimentação ou exclusivamente dedicados a celebridades, que às vezes dão a sensação de serem uma família — como primos de quem a gente ouve falar, nas cartas de Natal, que andam fazendo isso e aquilo, e que a gente vê só de relance nas festas de formatura, batizados ou casamentos. O que consola Lydia é ver que as mesmas pessoas aparecem nos mesmos sofás e poltronas de convidados ao longo dos anos. Elas envelhecem, ela envelhece; o programa de entrevistas é o anfitrião do envelhecimento. Por um tempinho, parece que estão todos juntos.

*Puxa, e vocês sabem que eles nunca pagaram o serviço de bufê?* A princípio, ela acha que a mulher que fala alto continua contando como foi o casamento da filha em Nantucket, mas agora ela está conjugando os verbos no passado, é outro assunto, outro casamento. Logo fica claro qual é o casamento.

Lydia olha em volta à procura da garçonete, uma loura grávida chamada Amy, que ela tem certeza de que trabalhava no mercado. Ela a vê todo dia e sempre pensa em perguntar, mas depois que pede o café, não consegue nem encontrar as palavras. Ultimamente, Amy se limita a trazer o café, o que livra as duas de ter de falar.

A multidão que vem todo dia na hora do almoço já foi embora, em sua maioria. Lydia gira o corpo para trás, de leve, toma cuidado para não virar muito, para não ser vista pela mulher que fala alto nem pelas outras que estão com ela. Ainda não sabe muito bem quem são, mas, pelo que estão falando agora, não quer ser reconhecida. Quer ir embora o mais depressa possível. Olha de novo na direção da cozinha, na esperança de ver Amy e acenar, pedindo a conta, mas não tem ninguém. Está presa ali e não há nada que possa fazer para não ouvir aquela mulher, que parece que não para nem para respirar, um pouco que seja, entre uma frase e outra.

*Acho que a tenda não queimou. Mas o grande carvalho atrás da casa pegou fogo. Ainda não cortaram o que sobrou. Está lá, preto e horrível, como uma medonha decoração de festa de Halloween. Puxa, dá para imaginar?*

*Meu irmão trabalhava para Luke Morey...* Outra pessoa está falando, agora, alguém mais jovem. *Ele esteve na casa na véspera do que aconteceu, com seus amigos — cortando a grama, juntando lenha, limpando os canteiros de flores... Até hoje Silas não quer falar do assunto. Tem só quinze anos. A polícia fez umas perguntas para ele, o chefe dos bombeiros também, mas ele não sabia de nada. Silas trabalhou para Luke durante três verões.*

Lydia achava que as conversas desse tipo tinham acabado. E, mesmo que não tivessem, ela não ficava perto o bastante para ouvir. A maioria das pessoas, se visse Lydia chegando, mudava de assunto ou se calava. Ela havia se habituado a ver as conversas pararem de repente, os olhos viravam para outro lado quando ela passava pelas pessoas na farmácia e no mercado, ou mesmo ali na cafeteria. Mas aquelas mulheres não estavam vendo Lydia.

Amy deve estar descansando — o horário de pico do almoço deve ter sido muito cansativo e a gravidez dela deve andar aí pelo quinto mês. Lydia lembra que fez faxina nas casas até o nono mês de gravidez e que voltou para trabalhar com Luke quando ele tinha só duas semanas de vida. Teve de fazer isso. Earl expulsou Lydia de casa sem dar um centavo e ninguém o criticava por isso. O pai biológico de Luke não sabia que ele existia, e nunca iria saber, e a mãe dela mal conseguia se sustentar com o que ganhava no banco. Lydia e a mãe sempre tiveram de se virar sozinhas, desde que ela se entendia por gente. O pai de Lydia morreu de ataque cardíaco pouco depois que ela nasceu e tudo o que ele deixou foram dívidas. Um tremendo empréstimo no banco e prestações do caminhão que ele usava para limpar as entradas para carros no inverno, a fim de ganhar algum dinhei-

10. *Não existe nenhuma pensão quando a gente ganha a vida vendendo lenha e limpando a neve*, dizia a mãe de Lydia quando pagava as contas, fumando cigarros na mesa da cozinha. *Ele trabalhava muito*, era a metade do único outro comentário que ela fazia sobre Patrick Hannafin, que, pelas poucas fotografias que Lydia tinha visto, era a origem de seu cabelo castanho-escuro e das maçãs do rosto angulosas e salientes. Em todas as fotografias, ele parecia igual: bonito, alto, sério. *Ele trabalhava muito*, dizia Natalie Hannafin a respeito do falecido marido, *mas suas mãos eram alérgicas a dinheiro*. A família dele vivia em Wells desde os anos 1800 e, em certa época, havia tantos Hannafin quantos Morey, mas com o passar do tempo, por causa de doenças, do desejo de viajar e por nascerem mais meninas que meninos, a família foi minguando e agora Lydia era a última Hannafin que tinha sobrado.

Apesar disso, a mãe de Lydia fez questão de que a filha mantivesse o nome de Earl Morey depois do divórcio e Luke também. Não fazia nenhum sentido, e o pior era que parecia um gesto agressivo contra uma família que não só levava seu nome a sério como reagia a qualquer provocação com a mesma falta de delicadeza com que tratava a infidelidade. Lydia sabia que a mãe, bem lá no fundo, conservava uma tênue esperança de que Earl fosse mudar de ideia, perdoar sua filha e aceitar Lydia e Luke em casa outra vez. Conservar aquele nome foi a única coisa que ela exigiu na época, e como o apartamento dela era o único lugar para onde Lydia podia ir depois da maternidade, ela aceitou. Lydia dormiu no sofá da casa da mãe durante seis meses e, como não havia dinheiro para pagar uma babá, Lydia levava Luke junto para o motel Betsy e para as casas onde fazia faxina, colocava o bebê na sua cadeirinha no carro, nas bancadas da cozinha, nos bancos junto às janelas e em cima das camas, enquanto trabalhava. A mãe dela sempre dizia que o menino era capaz de dormir, mesmo se houvesse uma guerra ao lado.

A mulher que fala alto continua a esticar o assunto, dando um monte de detalhes. Os mesmos fatos sinistros que os jornais e as estações de notícias de Nova York e de Connecticut repetiram durante meses. Um escapamento de gás, uma explosão, quatro pessoas mortas, um casal jovem que ia casar naquele dia, a mãe da noiva no meio do gramado, vendo tudo acontecer, seu ex-marido dormindo no primeiro andar e seu namorado na cozinha, *um ex-presidiário*, ela faz questão de enfatizar, *e negro, não que isso tenha importância*, acrescenta num sussurro.

*Meu Deus*, ela pode ouvir uma das mulheres comentar em voz baixa. *Que pesadelo*, Lydia ouve outra mulher murmurar, e imagina que ela balança a cabeça bem devagar e está de braços cruzados.

Enfim, a quarta mulher fala. Deve ser a única que não é dali, pensa Lydia, e deve ser por causa dela que as outras estão contando a história com tanta minúcia. *Como alguém pode se recuperar disso? Por onde você começa?*

Lydia põe as mãos no colo e fecha os olhos, quando a que falava alto arremata.

*Não dá para se recuperar, e ela não se recuperou. Puxa, vocês já imaginaram ver desaparecer, de uma só vez, todo mundo que a gente ama? Alguém já ouviu falar de uma coisa dessas?*

Não há nada que Lydia possa fazer para detê-las. Nada que possa fazer para que calem a boca e parem com aquilo. São como os mosquitos que rodam em volta de sua cabeça quando ela caminha pelo parque municipal no verão. Disparam, picam, zumbem, rodopiam e sempre acompanham seus passos, não importa se ela anda depressa ou devagar.

*Ao que parece, ela foi embora da cidade. Oeste ou sul ou sei lá para onde. Depois do enterro, ela simplesmente sumiu do mapa.*

Durante alguns segundos, houve um silêncio. O barulho dos pratos do almoço sendo lavados e empilhados na cozinha. O delicado apito de um caminhão de entregas que dava marcha a ré em algum lugar.

Houve uma investigação, diz a mulher que não parece nada familiar, mas que deve ser de Wells ou de algum lugar próximo para se julgar no direito de representar o papel de contadora da história. Não existe nenhuma prova consistente, mas parece que foi o rapaz negro com quem ela andava. E, me desculpem, ele era um rapaz e, de certo modo, era bom para ela, mas vejam só o que aconteceu.

Você acha mesmo que foi culpa dele?, pergunta a mais jovem, com voz nervosa. Desde que falou do irmão, ela estava calada. Silas diz que Luke era um bom chefe. Nossa mãe discorda, mas Silas gostava dele.

Puxa... vejam bem... acho que ninguém na verdade tem dúvida de que foi ele. Era ele que estava na cozinha. Todos os outros estavam dormindo. Além do mais, ele tinha passado um tempo na prisão. Por uso de drogas, tráfico, o pacote completo. Cocaína ou crack ou metanfetaminas ou sei lá o que mais. Eles formavam um casal e tanto. Ela era gerente de galerias de arte na cidade e acho que se mudou e veio morar aqui de vez. Para ficar com ele, não há dúvida disso.

Como é que uma mulher como aquela pode terminar com um bandido local feito ele?, perguntou a quarta mulher, como se pegasse a deixa.

O que você acha?

ESCUTEM AQUI UMA COISA, gritou Lydia, com palavras que nem mesmo eram dela. Está de pé, a cadeira raspa no chão como se desse um berro na hora em que se levanta e se vira de cara para as mulheres. ESCUTEM AQUI, grita de novo, a voz choca os próprios ouvidos, o som mais alto que ela emitiu em muitos meses. Quando foi, aliás, a última vez que ela falou? Ontem? Semana passada? Está de pé na frente daquelas quatro mulheres, três mais ou menos da mesma idade que ela, cinquenta e cinco, sessenta e poucos anos, e a outra bem mais jovem, de vinte e poucos, a única que ela reconhece. Seu nome é Holly, e Lydia cresceu com a mãe dela, que era poucos anos mais velha e nunca foi muito amistosa. Passam alguns segundos, enquanto Lydia continua parada naquela cafeteria, agora quase vazia, diante de uma mesa de mulheres que, exceto Holly, ela imagina que nunca tenham feito nenhum trabalho braçal, um único dia de suas vidas, e que foram muito bem cuidadas por pais, amigos, colegas, namorados, maridos, filhos e netos amorosos durante todos os minutos mimados, e garantidos por direito, de suas vidas. São mulheres descansadas, tratadas com afeição. Elas olham para Lydia como se os garfos em suas mãos tivessem dito para elas ficarem caladas.

*Desculpe, quem é a senhora?* A que fala mais alto, numa tentativa de impor a ordem, rompe o silêncio e esvazia a momentânea autoridade de Lydia. Quem sou eu?, pensa Lydia. Não sou nada. Nunca fui nada, a não ser uma faxineira para os outros, uma filha, uma esposa, uma namorada ou uma mãe, e em todos esses papéis eu fracassei e agora não tenho mais nenhuma função. Os joelhos dela estão tremendo e ela sente o cheiro forte de seu corpo. Está de pé na frente daquelas mulheres, sem nada para dizer, além do pedido de que a escutem. Holly começa a falar: *Lydia... quero dizer... sra. Morey, por favor, eu...*

Quando fala seu nome, o rosto de Lydia se incendeia, afogueado, e um pânico que se manifesta como uma dor física atravessa seu peito. Antes que qualquer outra palavra seja dita, ela dá as costas, com a mão trêmula coloca uma nota de cinco dólares na mesa e, ao fazer isso, murmura: *Aquele bandido era meu filho.*

*Desculpe, o que a senhora disse?*, pergunta a que fala mais alto, a voz aguda, tensa, num tom mais de censura que de curiosidade.

Lydia vira o rosto para ela. *Meu filho, sua piranha burra. Ele é... Ele era meu filho.* Dá um passo na direção dela ao dizer essas palavras e, quando vê a mulher recuar, se dá conta de que está com a mão erguida, a palma aberta. Para abruptamente e depois anda, o mais depressa e o mais firme que pode, na direção da porta, sai pelo estacionamento do shopping e chega à calçada que vai dar na sua casa.

Finalmente ela ouviu aquilo que tanto temia que as pessoas achassem. Levou mais de seis meses para que as palavras alcançassem seus ouvidos e, agora que alcançaram, ela precisa ir o mais longe possível. Não tem ninguém para ela telefonar, ninguém que possa recebê-la em casa. Mas quando foi que Lydia teve isso? Recapitula as poucas opções que teve — Earl; a mãe; o pai, que morreu antes que ela o conhecesse; o pai de Luke, só por um breve tempo; Rex, por tempo demais, e ela nunca irá perdoar a si mesma por isso; Luke; June. Nenhuma dessas pessoas foi dela. Ou pertenciam a outros ou tinham vidas ou mentiras que as deixavam fora de alcance, ou deveria ter sido assim. Isso não é novidade, mas o que a deixa surpresa, depois de ficar sozinha por tanto tempo, é que só agora ela acha isso insuportável.

A calçada que vai dar na cidade está escorregadia por causa das folhas que caíram. Elas demoraram a mudar de cor este ano, algumas só mudaram no Halloween e ficaram agarradas aos galhos até que um vento nordeste soprou e, enfim, as derrubou no chão. As folhas estão por toda parte. Ela quer correr, mas em vez disso caminha lentamente, com cuidado para não escorregar e causar outra cena quando passa na frente da oficina de carros, do brechó do hospital, da loja de flores, da sociedade histórica, da loja de tecidos, da biblioteca municipal, da escola primária.

Todo dia, mesmo dentro do trem, ela anda. Seu carro, um Chevy Lumina azul-claro velho, estacionado atrás do prédio de apartamentos onde mora, não é ligado faz mais de um mês. Ela só usava o carro muito raramente para serviços de limpeza e, se precisava ir a algum lugar na cidade, sempre economizava gasolina indo a pé. O mercado e a cafeteria são seus únicos destinos agora, e ela vai caminhando aos dois lugares.

Passa pela igreja St. David, onde foi o velório de Luke, a mesma igreja onde a mãe a levava na véspera do Natal e no domingo de Páscoa, quando ela era criança. *Quer Deus exista ou não, a gente já deixa essa possibilidade garantida*, era o que ela dizia. E por esse motivo fez questão de que ela e Earl casassem ali na igreja, também. O velório de Luke foi a primeira vez que Lydia pôs os pés na igreja, desde o dia do seu casamento, e ela ficou surpresa de ver que nada havia mudado ao longo de mais de trinta anos. A mesma madeira escura, o mesmo vitral soturno. *Deus não existe*, ela murmurou naquele dia, para si e para a mãe morta. E, se existisse, Lydia sabia que fazia muito tempo que Deus não queria saber dela.

Passa pela casinha onde foi criada, ao lado do posto do corpo de bombeiros, a construção vitoriana com duas residências geminadas onde ela morou por pouco tempo quando esteve casada; o apartamento em cima da oficina de Bart Pitcher, onde a mãe dela morou nos últimos quinze anos de vida; o apartamento a três ruas dali, atrás da loja de bebidas, onde foi morar depois que o divórcio foi concluído e onde criou Luke. A essa altura ela já deveria ter deixado a cidade, pensa, inclinando a cabeça para passar sob uns galhos baixos. Não tem ninguém ali, mas não tem ninguém em lugar nenhum. Por um tempo houve, enquanto Luke era jovem e eram só os dois. Mas quando ficou mais velho, ele descobriu a natação e os amigos e começou a ocupar um mundo separado do mundo dela, ainda que morassem sob o mesmo teto. Só muito mais tarde, depois da prisão e de anos evitando Lydia, ele voltou, e mesmo assim apenas porque June mandou. Então teve início um breve período, tão anômalo e feliz que agora ela recorda como se tivesse inventado aquilo. Como uma fábula em que alguma infeliz tem chance de ver o Paraíso de relance, só para ter o gostinho e perder tudo logo depois. Aquela infeliz era Lydia. Luke aceitou-a de volta em sua vida, e June veio com ele: muito mais do que Lydia esperava. E agora os dois se foram, numa baforada de fumaça preta.

 Lydia dá um pontapé num monte de folhas que foram varridas e deixadas juntas na calçada sem ninguém recolhê-las, e ela pensa nas milhares de vezes que passou andando por ali — quando pequena, adolescente, mãe, e agora. Não consegue imaginar ninguém que tenha andado por aquelas calçadas tantas vezes quanto ela. Meus pés são famosos para essas calçadas, pensa, e a ideia quase a diverte, por um segundo a novidade da ideia rompe o pânico que a fez vir da cafeteria para cá. Ela prende a respiração quando passa pelo cemitério — talvez a única superstição infantil que ainda conserva. Faz a curva na esquina que assinala o fim do cemitério e então solta o ar, imaginando todos os fantasmas contrariados — inclusive os pais dela — que esperam por trás dos portões do cemitério que ela vá se juntar a eles. Luke está enterrado no pequeno cemitério atrás da igreja St. John, onde Lolly Reid deveria se casar. Fica do outro lado da estrada, em frente ao lugar onde ficava a casa de June e, para Lydia, parecia ser o lugar óbvio. Além da sepultura de Luke, ela comprou mais duas — uma para si e outra para June, embora nunca tenha tido oportunidade de contar isso a ela.

 Quando atravessa a rua e retoma a calçada, Lydia tem a forte sensação de que há alguém atrás dela. Acha que ouve o barulho de passos, mas quando para e dá meia-volta, não há ninguém, só um adolescente andando de bicicleta na rua, na direção oposta. *Hoje, os fantasmas estão soltos*, lembra que a mãe dizia nos dias escuros de inverno, como esse. Volta a andar, agora mais depressa, e lembra que, uma vez, Luke a chamou de fantasma. Ele não disse aquilo de maneira gentil, e foi antes de começar a perdoá-la, antes de June. Ele estava na seção do mercado onde os sorvetes e as pizzas congeladas ficam expostos em geladeiras de porta de vidro. Lydia tinha visto Luke entrar no mercado e entrou também, manteve certa distância, enquanto observava o filho passar de um corredor para outro e encher seu carrinho de compras. Já fazia um verão inteiro que ele tinha saído da prisão e Lydia ainda não tinha falado com ele, apesar de ter deixado muitos bilhetes e recados no telefone, que ele nunca respondia. A camisa dele era curta demais e subiu nas costas quando ele se curvou para levantar um saco de gelo. Lydia pôde ver a linha grossa da sua coluna e os músculos dos dois lados se torcendo feito cobras por baixo da pele escura. Como é possível que eu tenha criado uma coisa tão bonita?, pensou. Quando viu a mãe, Luke ficou parado e olhou fixamente para ela durante alguns segundos, e começou a dar meia-volta. Mas antes, parou abruptamente e rosnou: *Vá embora, fantasma.*

Ela atravessa o parque municipal rumo ao pequeno prédio onde mora, no primeiro andar, há mais de seis anos. Sobe os degraus da escadinha bamba da varanda e repara que deixou uma luminária acesa na sala. Imagina que uma mariposa ou algo assim está esbarrando na lâmpada, porque a luz oscila e lança pequenas sombras ligeiras no sofá, na cadeira, na parede. Fica parada na porta e, por um momento, pensa no que ela imagina que a maioria das pessoas costuma encontrar quando chega em casa — cômodos iluminados, vozes, alguém à espera.

Agora está chovendo. Em algum lugar na Upper Main Street a portinhola de uma caixa de correio fecha com estrondo. Ela acha que ouve passos de novo, passos que agora correm para longe, mas logo só se ouve o som das gotas de chuva que batem nas folhas mortas, nos carros estacionados, nas calhas. Fecha os olhos e escuta. Ninguém chama seu nome, não há mais barulho de passos atrás dela, mas ainda se vira para os lados antes de destrancar a porta e entrar. Dá uma olhada longa de final do dia para a cidade onde morou a vida inteira, onde não tem amigos nem família, mas onde seus pés são famosos para as calçadas.

# Rick

Minha mãe fez o bolo de casamento de Lolly Reid. Pegou a receita num restaurante de comida brasileira em Nova York onde ela foi, numa noite, depois de ver um show com as amigas. Era um bolo de coco feito com laranjas frescas. Ficou dias preparando. Não tinha colunas nem andares, nem decorações sofisticadas; só um bolo grande e liso, com aquelas bolinhas prateadas comestíveis espalhadas por cima e umas orquídeas roxas que ela encomendou especialmente na loja da Edith Tobin. Minha mãe ficou orgulhosa daquele bolo. Ela faz bolos decorados para todos os aniversários da nossa família, e fez o meu de casamento e o da minha irmã também; então, quando June Reid nos contratou para o serviço de bufê do casamento da Lolly, a filha dela, pensei: Por que não?

Infelizmente, ela nunca foi paga. Nem eu. Nem um centavo. E, se June Reid tentasse me pagar, eu teria rasgado o cheque. Eu não poderia aceitar dinheiro daquela mulher depois do que ela passou. Minha esposa, Sandy, pensava de outro modo, e ainda pensa, mas ela é ela e eu sou eu. Juntos, somos os proprietários do Feast of Reason e, tecnicamente, ela tem o direito de reclamar, mas eu não queria — e ainda não quero — nem saber de incomodar June Reid por causa de uns dólares à toa. Vinte e dois mil dólares, para ser exato, mas quem é que está fazendo contas? Eu devia ter feito um contrato, como a Sandy vive pedindo para fazer — pelo menos a gente teria recebido metade do dinheiro antes —, mas nunca me animei a escrever um contrato e levar para um advogado a fim de verificar se cobria todas as possibilidades. O casamento de Lolly Reid foi o segundo grande evento para o qual nossa firma foi contratada, e ainda estávamos pondo de pé o mercadinho e a cafeteria, conferindo para ver se tudo estava de acordo com os regulamentos. Se você quer perder o sono e eliminar todo o tempo de folga e toda a liberdade da vida, não tenha dúvida, é só abrir um pequeno negócio, sobretudo se for para vender comida. Ninguém explica nada sobre inspetores sanitários e acesso para cadeirantes quando a gente tem a ideia de abrir um lugar para servir uma sopa de lentilha perfeita, um pão fresquinho e cappuccino com leite de amêndoas. E ainda bem que não fazem isso, porque nesse caso não existiriam cafés nem restaurantes nem lanchonetes em lugar nenhum. Não tenho certeza do motivo pelo qual achamos que o serviço de bufê era uma boa ideia, mas afinal isso permite que as pessoas de quem a gente gosta possam ganhar algum dinheiro. Além do mais, é lisonjeiro receber o pedido para fazer a comida para um dia importante na vida de alguém — casamento, formatura ou aniversário. E quando se trata de uma pessoa que nem June Reid, que poderia encomendar o serviço para alguém lá de Nova York e para uma empresa de primeira classe, bem, para nós, foi uma coisa muito importante. Quando June e Lolly vieram aqui e me perguntaram se estaríamos interessados em preparar a comida para o casamento, não havia como dizer não. Aliás, era muito difícil alguém dizer não para June Reid; tinha sempre aquele ar de Glinda, a Bruxa Boa do Sul, dava uma sensação do tipo: nada de ruim jamais aconteceu comigo e nada de ruim vai acontecer com você se ficar do meu lado. Ela era bonita como são bonitas algumas daquelas mulheres mais velhas que aparecem nas novelas que minha esposa assiste na televisão. Ela sabia se cuidar. Também tinha um cheiro bom, não sei de quê, mas era *gostoso*. Acho que provavelmente continua assim, mas já faz um bom tempo que não vemos June Reid por aqui. Foi embora faz meses, e quem pode criticar a mulher por isso? Reuniu suas forças para acompanhar os enterros, se manteve afastada de todo mundo da cidade e depois foi embora.

June Reid vinha para Wells nos fins de semana com o marido e a filha, havia anos, e depois, já sozinha, se mudou para cá de vez. Ninguém fez nenhum espalhafato nem teve dúvidas a respeito dela, mas quando passou a morar junto com Luke Morey, a cidade toda ficou atenta. Isso aconteceu há mais de dois anos e, na época, ela já devia ter uns cinquenta, no mínimo, mais ou menos duas vezes a idade de Luke. Sandy e as amigas dela não paravam de falar do assunto. Simplesmente não conseguiam admitir que Luke atrelasse seu cavalo na carroça dela, ou sei lá como era a expressão que elas usavam, ainda mais porque Luke tinha um monte de carroças para escolher. Eu e Luke crescemos juntos, estudamos juntos no ensino fundamental e no ensino médio, jogamos juntos em muitos times, também, até o ensino médio, quando ele passou a dedicar à natação todo o tempo livre que tinha. E, meu Deus, como ele nadava. Perry Lynch costumava brincar dizendo que isso era porque o povo dele era de Cuba e Porto Rico e chegava aqui nadando até a Flórida, mas, como acontece quase sempre, Perry estava falando bobagem. A mãe de Luke, Lydia, era branca, mas o pai dele, quem quer que seja, deve ter sido um negro puro, e não um hispânico ou latino ou sei lá como chamam. Em todo caso, Luke nadava que nem um peixe e quebrou os recordes da escola e do estado e chegou a ser recrutado por umas universidades grandes — até Stanford — para ganhar bolsas de estudos. Stanford! Ele tinha um algo a mais e tinha sua lista de opções de garotas, de escolas e de futuros. Mas aí tudo desmoronou. Tudo, de uma vez só — bum! — e ele ficou que nem todos nós, até pior. Foi preso por levar cocaína de Connecticut para Kingston e a sua vida veio abaixo. Terminou condenado a onze meses de prisão, em Adirondack, Nova York. Foi inacreditável, e a parte mais sórdida é que tudo foi uma armação. Todo mundo no colégio sabia que Luke não tinha nada a ver com drogas. Ele vivia sempre concentrado na natação e em manter a forma física. Nos fins de semana, bebia, como todos nós. Chegou a desmaiar uma vez, no parque municipal, quando voltava de uma festa. Estávamos no segundo ano. É estranho pensar que isso tenha chamado tanta atenção, naquele tempo. Todo mundo acabou sabendo e alguém deve ter chamado Gus, o policial da cidade, porque foi ele que apareceu, acordou Luke e o levou para casa.

    Luke não era perfeito, mas ser apanhado com uma carga grande de cocaína é uma coisa que não fazia nenhum sentido. E ainda não faz. Ouvi dizer que a mãe dele, Lydia, de algum jeito tinha alguma coisa a ver com a história, por causa de um de seus namorados esquisitos. E mais tarde um cara que trabalha na Delegacia de Polícia de Beacon me contou que Luke tinha sido forçado a se declarar culpado por um advogado e um juiz salafrário que estavam protegendo uns peixes graúdos. Mas o que quer que tenha acontecido, na verdade, o fato é que Luke nunca contou nada para mim nem para ninguém, que eu saiba. Depois que saiu da prisão, voltou para Wells, trabalhou aqui e ali e acabou montando seu próprio negócio de paisagismo. Uma coisa que Luke tinha é que nunca fazia fofoca sobre os outros. Podia ser mal-humorado e, às vezes, perdia a paciência, mas não era de ficar falando besteira. O fato de sua mãe ter sido alvo de fofocas durante tantos anos deve ter alguma coisa a ver com isso. Quem sabe? Mesmo quando ele começava a sair com uma garota, era por meio de outra pessoa que eu acabava sabendo. Enquanto a gente era novo, só faltava pôr anúncio no jornal para divulgar nossos primeiros passos em cada paquera. E quando conseguíamos mesmo chegar lá, puxa vida, todo mundo tinha de saber e, em geral, poucas horas depois. Mas Luke não era assim. Ele ia de mansinho. Como quando começou com June Reid. Foi Sandy que me contou — ela fica de olho em todo mundo — e, na época em que descobri, ele já estava morando naquela casa velha de pedra, na Indian Pond Road. Eu devo ter me encontrado com ele uma ou duas vezes, naquela época, e ele nunca me contou nada.

Assim que Luke saiu da prisão, seu treinador de natação no colégio, o sr. Delinsky, arranjou para ele um emprego de guarda-vidas na praia da cidade. Eu vivia lá o tempo todo, com Sandy e Liam, que era bebê. Foi antes de a gente montar o Feast of Reason e eu ainda trabalhava à noite, sobretudo nos fins de semana, para uma empresa de bufês de festa, em Cornwall. Eu tinha os dias livres e morava com minha mãe, então colocávamos Liam em cima de uma toalha, perto do lago, e relaxávamos. Luke estava lá e, puxa, como ficou grande na prisão. Ele sempre se manteve em forma, mas só com a natação os caras nunca chegam a ficar fortes demais. Ele deve ter levantado peso todos os dias, porque dava a impressão de que tinha ganhado pelo menos uns nove quilos de músculos. Estava um gigante. Ficava lá no alto daquela cadeirinha branca, de olho nas crianças que brincavam na água do lago, cheia de algas, preto feito uma cereja e musculoso como um deus do Olimpo. É uma coisa esquisita de dizer, mas parecia um astro do cinema ou um atleta famoso. Forte demais, bonito demais, tinha alguma coisa demais, para pessoas que nem a gente. Ninguém por aqui se parecia com ele, e não estou falando só do fato de ser negro. Peguei Sandy olhando para ele várias vezes e pensei: o que é que tem, quem é que pode criticar Sandy por causa disso? Ele trabalhou de guarda-vidas durante boa parte do verão. Em agosto, algumas mães que levavam os filhos para o lago reclamaram de terem contratado uma pessoa que tinha acabado de sair da prisão e então ele teve de largar o emprego. Depois disso, começou a dar uma ajuda na empresa administradora de imóveis de Steve Pitcher. Varrer folhas, limpar calhas, podar as moitas. Trabalhou nisso por alguns verões e, de noite e no inverno, eu arranjava para ele uns serviços de garçom de bufê para grandes eventos em Harkness. A empresa em que eu trabalhava tinha um contrato com o colégio interno para atender seus eventos mais chiques, promovidos pelos ex-alunos, e sempre precisávamos de gente para trabalhar. Eu via Luke passar pela sala, levando café e servindo vinho para aqueles caras de cabelo branco, banqueiros velhos e advogados de paletó azul, e achava que tinha alguma coisa muito errada ali. Naquela altura, era para Luke estar cursando o segundo ano em Stanford, ganhando competições, fazendo planos para um futuro cheio de festas como aquelas, mas em que ele era servido, e não o contrário. Não que eu ache que uma vida seja melhor do que outra — caramba, eu vou ficar servindo nova-iorquinos de cabelo branco e de paletó azul pelo resto da minha vida —, mas só que não era essa a vida que ele devia viver. Qualquer pessoa que conhecesse Luke no colégio perceberia logo que ele não ia ficar muito tempo na nossa cidadezinha. Entre todos os preguiçosos maconheiros e beberrões com os quais a gente cresceu, que de um jeito ou de outro conseguiram levar a vida com pensões por invalidez, indenizações de seguros ou as duas coisas juntas, quem é que podia imaginar que seria logo Luke Morey que ia acabar sendo enterrado aqui, aos trinta anos de idade? Ninguém, ninguém mesmo. Nem Dirk Morey e seu pai, Earl, que foi casado com a mãe do Luke. Aqueles malucos dos Morey, todos ruivos, nunca gostaram do Luke — e tudo bem, eles tinham lá seus motivos —, mas a verdade é que Luke nunca fez nada para eles, a não ser nascer e ter o mesmo nome. Mas isso não tinha importância. Ele estava sempre na mira dos dois e, numa cidade pequena que nem Wells, a gente acaba cruzando com todo mundo, mesmo com as pessoas que a gente quer evitar. E apesar do fato de Dirk ser um cara pequeno e alguns anos mais jovem que nós, ele vivia grudado na gente, fazendo piadinhas, aporrinhando Luke. Luke sabia se controlar, mas algumas vezes a gente teve de se meter. Dirk é o único sujeito em quem eu dei um murro na cara e, na noite em que fiz isso, ele bem que mereceu. Seria diferente se ainda fôssemos garotos, mas o negócio aconteceu há poucos anos. Estávamos saindo da lanchonete da escola primária, onde os voluntários dos bombeiros promovem sua macarronada mensal, de noite. Todo mundo vai. Sempre foi. June e Luke já haviam saído e Dirk estava atrás de mim e de Sandy. *Parece que ele achou uma piranha que nem a mãe dele*, disse Dirk, espetando o dedo nas minhas costas e olhando para a frente, na direção de Luke e June. Ignorei Dirk, como a maioria faz, depois que toma cervejas demais. Em geral, ele fecharia o bico depois e iria embora, mas naquela noite não foi assim. *Tem algumas delas que são que nem as pretinhas, eu acho. É gozado, não é, Rick?* E cutucou minhas costas de novo e pude sentir meus punhos se fechando. Luke e June estavam alguns poucos metros à nossa frente, mas acho que não deu para eles ouvirem. E então, fazendo questão de que todo mundo na lanchonete ouvisse: *A diferença é que essa bocetinha rica está pagando.* Com isso, me virei e quebrei a cara dele. Metade da cidade, em algum momento, já quis quebrar a cara de Dirk Morey, e alguns já fizeram isso. Ele foi atirado para fora do Tap quase tantas vezes quanto o pai. Os Morey são uns beberrões bagunceiros, mas são uns caras pequenos, musculosos e, por mais agressivos que sejam, em geral evitam se meter em briga. O problema é que tem muitos deles por aqui. Dirk sempre se sente à vontade para falar baixarias porque, em geral, tem dois ou três primos por perto para defendê-lo, se ele se meter numa encrenca. A família dele é o corpo de voluntários dos bombeiros, então, naquela noite, ele deve ter se sentido maior do que já se sentia, em geral. Foi sorte Luke me alcançar antes que os outros Morey fizessem isso, porque depois que acertei Dirk a primeira vez, joguei o cara no chão e parti logo para cima dele. Desde criança que escuto aquele cara falar essas sacanagens e fui guardando uns murros comigo, no correr dos anos. Também levei umas bordoadas, antes de Luke conseguir me arrastar para o estacionamento. June Reid ficou de lado, até Luke ter certeza de que eu não ia voltar lá dentro, mas quando eu e Sandy começamos a caminhar na direção do carro, June veio correndo e apertou minha mão. Não disse muito obrigado nem nada, nenhuma palavra. Puxou a minha mão para dentro das suas, apertou e soltou. Ficou olhando para baixo o tempo todo, por isso eu não podia ver se havia lágrimas no seu rosto, mas ela estava abalada. Correu de volta para Luke, antes que eu pudesse falar.

 Eu não sabia grande coisa sobre June Reid antes de ela começar a sair com Luke. Eu conhecia a casa — era uma das mais antigas de Wells e me lembro de ir lá quando menino, no Halloween, pedir doces, e me lembro de que ficava assustado, porque a casa parecia mal-assombrada. É engraçado imaginar que ela teria mais ou menos a idade que tenho hoje quando eu batia na porta de sua casa, com minha fantasia de He-Man. Quando ouvi falar pela primeira vez que ela estava saindo com Luke, achei meio estranho, mas depois que vi os dois juntos, fiquei contente de vê-lo animado e começando a se divertir outra vez. Quando saiu da prisão, era um cara bastante deprimido. E não era de circular muito por aí. Se enfiou num quartinho em cima da oficina do sr. Delinsky durante os primeiros meses e depois arranjou um apartamento perto do hospital. Eu via Luke no lago e depois em Harkness, mas fora isso ele ficava na dele, ia à academia de ginástica no colégio e ainda dava suas nadadas na piscina. Eu o vi lá com June, algumas vezes, se exercitando. Acho que foi a primeira vez que vi Luke rir ou com expressão alegre desde o tempo do colégio. Uma vez, vi como ele tentava ensinar para ela um exercício complicado com halteres e fiquei admirado de ver como ele rapidamente ficou frustrado com a falta de coordenação de June. Ela pareceu nem se importar e, em troca, brincou com Luke, imitando a cara séria dele e exagerando seus movimentos cuidadosos. Ele estava nitidamente chateado, mas ela foi insistente e, no final, Luke não pôde deixar de sorrir. Acho que a maioria das pessoas não imaginaria que June Reid tivesse um lado bobo, mas tinha, e acho que essa foi só uma das muitas coisas nela que trouxeram Luke de volta à vida.

Quando minha mãe descobriu o que tinha acontecido, pediu para eu levar o bolo para o posto do corpo de bombeiros, para os caras que foram chamados para apagar o incêndio na casa de June Reid naquela manhã. Dirk Morey estava lá quando cheguei e o Earl também, junto com todos os outros. Pelo menos daquela vez esses caras não tinham nada para falar. Levei o bolo para a cozinha e disse para Eddie, um primo de Dirk, que ia voltar na semana seguinte para pegar o tabuleiro. Saí de lá o mais depressa que pude. Não queria ouvir nenhum detalhe sinistro. Só queria ir para casa e ficar com Sandy e Liam e trancar bem a porta. Comecei a andar de volta para casa, mas pela primeira vez desde que meu pai tinha morrido, quando eu estava na oitava série, comecei a chorar. Talvez tenha sido porque os dois casos foram acidentes — um motorista embriagado bateu de frente no carro do meu pai, na rodovia 22, depois que ele apanhou uma peça da máquina de lavar pratos da mamãe. Ou talvez tenha sido porque Luke havia se tornado meu amigo. Nós sempre nos demos bem, quando éramos crianças, mas ele vivia com os olhos voltados para outra direção — garotas, natação, faculdade — e, para o bem ou para o mal, nunca fomos muito ligados. Mas depois que ele saiu da prisão e seu negócio de paisagismo começou a funcionar a todo vapor, nós passamos a nos ver o tempo todo. Ele dava um pulinho aqui com os filhos do Waller para tomar um café e comer uma torta de manhã cedo, enquanto ainda estávamos abrindo as portas. Nunca falamos muito a fundo sobre coisa nenhuma, nunca conversamos sobre sua prisão nem sobre o tempo que passou na cadeia nem sobre a vida que ele perdeu por causa disso, mas eu sabia que ele e sua mãe estavam fazendo as pazes, depois de passarem muitos anos sem se falar. Ele nunca me disse nem uma palavra, mas Sandy sabia que June tinha negociado uma espécie de trégua. Quando a gente encontra uma pessoa todos os dias, por um tempo, acaba entrando num ritmo e passa a contar com ela, mesmo que seja só pelos quinze minutos que ela fica sentada, toda manhã, diante do nosso balcão ou numa das mesinhas, falando sobre o tempo, dando um grande sorriso para a gente e fazendo o sinal de positivo com o polegar para cima, quando crava os dentes num bolinho de semente de papoula. Nunca conversei com Luke sobre meu pai nem sobre Sandy ou Liam, sobre nossos problemas de dinheiro, sobre o susto do segundo câncer de mama da minha mãe, no ano passado. Não falo sobre essas coisas com ninguém, só com Sandy.

 O pessoal diz que Luke foi o responsável pelo que aconteceu. Que June estava rompendo com ele e que ele queria voltar para ela, ou que ele estava embriagado naquela noite e, por acidente, deixou o gás aberto. Por um tempo, correu o boato detestável de que um dos Morey do corpo de voluntários dos bombeiros teria encontrado um cano rachado na cozinha, perto do corpo de Luke. É claro que acharam. Mas, quando Luke está envolvido, os fatos nunca se voltam contra mais ninguém senão ele, por isso não é nenhuma surpresa, para mim, que a história do que aconteceu naquela noite não seja diferente. O que poderia ter esclarecido tudo seria uma investigação séria, mas, por razões que ninguém consegue explicar, o que sobrou da casa foi varrido por tratores e destruído, antes que as autoridades pudessem examinar as ruínas direito e identificar a causa exata da explosão. Quando liguei para perguntar o que estava acontecendo, o chefe do corpo de bombeiros do município me disse que eles limparam o terreno por razões de segurança. Para evitar acidentes; mas, como June Reid não tinha vizinhos senão os Moonie e a igreja episcopal, que ficavam bem mais abaixo na estrada, meu palpite é que a própria prefeitura estava se protegendo de ser processada por responsabilidade civil. Sacanas tapados. Mais uma vez, o sistema deixou Luke na mão e embaralhou os fatos em benefício próprio. É gozado que ninguém parece ter se importado com isso. June Reid sumiu, Lydia Morey largou o trabalho de faxina e agora fica sozinha, na dela, e a família do cara que ia casar com Lolly foi embora logo depois do enterro e se mandou para casa, na Califórnia ou no estado de Washington, em algum lugar lá na Costa Oeste. Não sobrou ninguém para cobrar a verdade, e o resto das pessoas não estava nem aí. Para que servia a verdade, quando já tinham Luke, o ex-presidiário, negro, filho bastardo da vagabunda da cidade que deu o golpe do baú com uma ricaça mais velha nova-iorquina? *Tem uma lógica*, disse um de meus clientes, na época. É um cliente das antigas, que vem aqui todo dia de manhã comer um queijo quente com ovo e tomar um café, e ele não é mau sujeito, é só um cara velho que nunca saiu desta cidade e nunca vai sair. Deixei que ele terminasse o queijo quente e tomasse o café e não disse nem uma palavra.

June Reid não ficou por aqui tempo suficiente para passar a limpo nenhuma dessas histórias. Antes, eu ficava revoltado com isso, e às vezes acho que ainda posso ficar, mas aprendi que as pessoas vão acreditar no que acreditam, não importa o que a gente diga ou faça. O que sei sobre Luke é que era meu amigo. Era um bom sujeito que passou por uns maus bocados e que conseguiu ser feliz por um breve tempo. E agora se foi.

Não queria que Sandy ou Liam me vissem de choradeira naquele dia, por isso, depois que deixei o bolo no corpo de bombeiros, fui de carro até a casa da minha mãe. Ela ainda mora na mesma casa onde fui criado, na mesma casa onde Sandy e eu moramos, quando estávamos tentando nos firmar na vida. É engraçado como, numa cidade pequena como a nossa, as coisas se encaixam, voltam ao início, se fecham. Quem é que podia imaginar que um dia Earl Morey, seu filho Dirk e todos os seus irmãos e primos estariam comendo um bolo de casamento brasileiro, feito pela minha mãe para a filha da namorada de Luke Morey, uma mulher mais velha e rica, de Nova York? Ninguém, ninguém mesmo. Mas, no final, a loucura sem pé nem cabeça de tudo isso, de certo modo, fez algum sentido.

Fiquei sentado dentro do carro, na entrada da garagem da casa da minha infância, e vi minha mãe acender a luz da varanda, uma coisa que ela sempre faz antes de abrir a porta da frente, desde que eu era criança, e mesmo em plena luz do dia. Vi minha mãe fechar a porta às suas costas, puxar o roupão fino bem apertado sobre os ombros magros e fechar os dois botões de cima. Pensei na minha mãe espremendo todas aquelas laranjas desgraçadas e quebrando todos aqueles cocos, nos últimos dois dias, polvilhando as bolinhas prateadas que os Morey, agora, estavam mastigando com seus dentes manchados de tabaco, lá no corpo de bombeiros. E então comecei a rir. Não consegui evitar. Não tinha nada de engraçado, nadinha, mas era tudo tão absurdo e tão errado. Havia lágrimas e muco por todo lado, e lá estava minha mãe, abrindo seu caminho da escadinha da varanda até a entrada de carros, arrastando os pés em seus chinelos, velha. Ela havia deixado os óculos dentro da casa e pude ver que estava apertando as pálpebras, na tentativa de me enxergar com mais nitidez. Rick? Você está bem?, perguntou, quando chegou do meu lado do carro e bateu os dedos no vidro da janela. Essa era minha mãe: as duas mãos no teto do carro, ela se inclinou para junto da janela, meio cega, preocupada. É engraçado como os desastres podem fazer a gente enxergar aquilo que pode perder. Acho que eu nunca tinha visto minha mãe com tanta clareza como naquele dia: sessenta e seis anos, viúva aos cinquenta, secretária numa escola primária por mais de trinta e cinco anos; uma mãe que criou dois filhos sozinha, que tomou conta da neta enquanto minha irmã divorciada fazia o curso de enfermagem em Hartford; uma sobrevivente de câncer de mama que deixou o filho já crescido voltar a morar com ela, junto com a esposa de dezenove anos e com um filho de um ano.

*Você está bem, aí dentro?*, perguntou, batendo de novo na janela. Rick? Destranquei a porta e saí do carro. Agora, já estava anoitecendo. *Me conte o que aconteceu*, disse ela, com as mãos nos meus ombros, seus pés balançando, apoiados nas pontinhas. Eu me inclinei para a frente e passei os braços em volta do seu corpo miúdo. *O bolo estava ótimo, mamãe*, foi tudo o que consegui pensar para dizer. *Eles iriam adorar.*

# Rebecca

Tem dias em que ela nem sai. Tem dias em que a gente nunca vê mais do que um fio de luz por trás da cortina. A gente já se acostumou com ela e é conveniente que pague em dinheiro pelo quarto. Também deixa uma gorjeta de quarenta dólares para Cissy toda semana, o que só pode ser um recorde aqui no Moonstone. Cissy, como nós, está com cinquenta e poucos anos, talvez um pouquinho mais. Sai de casa para trabalhar e vai a pé pela estrada, leva para nossa hóspede misteriosa uma garrafa térmica, quase todo dia, e de vez em quando uns biscoitos, e passa quase uma hora limpando o quarto dela, quando não gasta nem vinte minutos para limpar os outros. Além disso, eu vi recentemente, traz do quarto 6, toda semana, uma bolsinha de roupa para lavar e devolve no dia seguinte, na certa com a roupa lavada e passada.

Por que essa mulher pode querer ficar aqui por tanto tempo não é da nossa conta, mas é claro que fico pensando. Quando ela se registrou na recepção, não tinha nenhum documento de identidade. Havia perdido a carteira de motorista, explicou, e depois perguntou se podia pagar em dinheiro, um mês adiantado. Liguei para a Kelly, que é melhor para julgar as pessoas do que eu, e pedi para vir da casa até aqui para dar uma olhada, antes de aceitar. Kelly perguntou à mulher quanto tempo pretendia ficar e ela respondeu que não sabia, mas que, todo mês, ia pagar adiantado e em dinheiro e que não ia querer reembolso, caso fosse embora antes do fim do mês. Kelly perguntou de onde ela era e, embora tenha respondido de modo vago, *do Leste*, Kelly virou para mim, piscou o olho, apertou meu braço e disse para a mulher: *Pode ficar aqui o tempo que quiser*. Se fosse uma pessoa encrenqueira ou uma drogada barra-pesada, a gente não teria como ajudar, mas aquela mulher podia ser a mãe ou a esposa de qualquer um e parecia, e ainda parece, só uma pessoa triste, e não perigosa. Na noite em que se registrou, perguntei como queria que a gente a chamasse e ela respondeu *Jane*, que, é claro, não pode ser seu nome de verdade. Mas só falar essa palavra, esse nome de mentira, pareceu um tremendo esforço, e eu logo me arrependi de ter perguntado. Fui com ela até o quarto 6 — o que fica mais perto do mar e de frente para a água —, porque ela havia pedido especificamente aquele quarto. Deve ter conhecido alguém que ficou hospedado no Moonstone algum dia, ou que esteve aqui antes de nós comprarmos a propriedade. O quarto 6 também tem o melhor colchão, que tivemos de comprar no ano passado, depois que um velho que veio de Seattle, para passar o fim de semana, pegou no sono com o cigarro aceso na mão e pôs fogo na cama. O fogo abriu um buraco até o outro lado do colchão no curto espaço de tempo que ele demorou para acordar com a fumaça, graças a Deus, e aí veio correndo bater na nossa porta, descalço e de cueca samba-canção. O que foi até bom, porque, como ela está hospedada aqui há tanto tempo, fico contente que pelo menos possa dormir num colchão decente.

Quando mostrei a porta do quarto para ela, me oferci para

mostrar como era lá dentro, mas ela, educadamente, disse que não precisava. Apenas destrancou a porta com a chave, entrou sem dizer mais nada e ficou lá dentro por quase uma semana. Foi a Cissy que a tirou de lá pela primeira vez. *Madame, MADAME!*, gritou, ao bater na porta. *Sai um pouco daí, madame. Sai. Só preciso de uns minutinhos, mas a senhora tem de sair.* Kelly e eu ficamos a algumas portas de distância para ver o que ia acontecer. Pouca gente resiste a Cissy. É alta, magra e forte, com uma trança comprida, antes preta e agora cor de prata, grossa que nem uma corda, descendo pelas costas. Tem mãos maiores que as mãos da maioria dos homens e o peito é achatado que nem uma tábua. Parece uma índia americana, mas um dia, quando perguntei para ela, não me respondeu. O marido era de uma antiga família de pescadores em Aberdeen, lá embaixo, na boca da baía de Grays, mas ele morreu de câncer no pulmão há quinze anos e, de lá para cá, ela mora com as irmãs, que eu acho que, de um jeito ou de outro, quase todas perderam os maridos e acabaram indo parar na casa onde foram criadas. Cissy morou aqui em Moclips a vida inteira e trabalha no Moonstone desde que o marido morreu. Segundo Pam, sua irmã, o marido de Cissy deixou para ela a casa onde os dois tinham morado juntos, que ela vendeu, por isso não acho que Cissy esteja atrás de dinheiro e sim de alguma coisa para fazer e de algum lugar para ir todo dia. Pam é a única corretora de imóveis que existe em Moclips e foi ela que vendeu para nós o Moonstone, de um casal idoso, que era dono da propriedade desde a década de 60. Isso faz quatro anos. Na primeira manhã em nossa casinha ao lado do Moonstone, Cissy apareceu com uma lata azul de biscoitinhos de laranja e disse quanto cobrava, quais as horas do dia em que trabalhava e a semana de julho em que tirava folga, todo ano. Não me lembro de a gente ter oferecido o emprego para ela, mas sim de a gente aceitar os termos que ela propôs para trabalhar. Passaram meses até a gente descobrir que ela era irmã de Pam.

Cissy não é de ficar à toa nem de jogar conversa fora. No início, a gente achou que era porque ela se sentia incomodada com a gente, por causa dessa coisa de gay, mas quando o casamento gay foi legalizado no estado de Washington, este ano, ela entrou no escritório de manhã, depois da votação, e disse: *Não é da minha conta, mas se vocês resolverem legalizar a situação, eu sou pastora ordenada, graças à boa e velha internet, e ficaria feliz de fazer as honras.* É muito raro Kelly ficar sem palavras, mas demorou alguns segundos para ela conseguir dizer obrigada e explicar que ainda não tínhamos certeza de que íamos fazer aquilo, mas que, se fizéssemos, sem dúvida pediríamos os serviços dela. É engraçado como a gente pensa que as pessoas são de um jeito ou de outro e, na maior parte das vezes, termina vendo que está totalmente enganada. Ainda não temos certeza de que queremos casar. Já conversei sobre isso, é claro, e ficamos contentes na noite do resultado da votação, quando vimos na televisão que os eleitores aprovaram o referendo. Mas, além dos irmãos e sobrinhos de Kelly, que vemos uma ou duas vezes por ano, nem eu nem ela temos uma família propriamente. E agora já faz tanto tempo que estamos juntas — vinte anos, vinte e um, é difícil lembrar —, que esse assunto parece uma coisa que empolga mais o pessoal jovem. Mas nunca se sabe.

Cissy nunca falou do marido, cujo nome sabemos que era Ben só porque Pam nos contou, certa noite, enquanto fazia seu jantar. Tinha bebido umas taças de vinho, estava falando alto e ria, até que o assunto da conversa mudou e passou para Cissy, e aí ela se acalmou e começou a falar num sussurro, como se Cissy pudesse ouvir, lá da casa dela, no fim da rua. *Eles se conheceram num bar em Aberdeen, uma noite, quando eram adolescentes. Ben era o único homem alto o suficiente para ficar com Cissy, é o que a maioria das pessoas achava, na época — e apesar de a gente nunca ouvir os dois falarem grande coisa um para o outro, havia sempre uma fagulha entre eles, uma espécie de energia animal. Cissy dizia que tinha as irmãs para conversar e o Ben para o resto.* Nunca tiveram filhos. Nenhum dos dois nunca foi a um médico para saber o motivo. Apenas aceitaram isso e tocaram sua vida. Moraram numa casa a três casas da nossa, durante quase vinte anos, e Cissy me pediu para encontrar um comprador no dia em que o Ben morreu, que também foi o dia em que ela se mudou para a casa onde nós moramos. Arranjei um comprador pouco depois, um casal de Portland que veio com os filhos para dar aula na escola primária. Eles foram embora depois que o último filho foi para a faculdade. Acho que Pam se arrependeu de ter contado tanta coisa da vida de Cissy naquela noite, porque ela recusou os poucos convites que fizemos depois disso. Ela é bem simpática, quando a gente se encontra no mercado ou no posto de gasolina em Aberdeen, mas mantém certa distância.

É difícil acreditar que faz mais de meio ano desde aquela manhã em que Cissy bateu com força na porta do quarto 6, falando que nem os policiais na televisão. *Madame, eu tenho uma chave, estou batendo na porta só por uma formalidade. Madame, vou pegar minha chave e esta porta vai abrir, quer a senhora queira quer não.* E quando ela ia pegar a chave, a porta abriu e Jane partiu. *Obrigada*, disse ela, e a mão fez um gesto de desculpas, enquanto ela vestia seu casaco marrom-claro. Jane saiu depressa, desceu a escada na direção da praia, onde ficou durante a maior parte daquele dia. Daí em diante, nós a vemos caminhar pela praia durante horas, descalça, com seu tênis na mão, enquanto o outro braço costuma ficar na cintura. Certa manhã, no fim do verão, achamos que ela devia ter passado a noite lá fora, porque não tinha nenhuma luz no seu quarto, nenhum barulho de água nos canos nem de descarga do vaso sanitário, como era costume. As luzes acenderam no início da noite e vimos a sombra de sempre passando por trás da cortina, portanto, onde quer que ela tivesse passado a noite anterior, acabou voltando sã e salva. Acho que se alimenta quase que só com os biscoitos da Cissy, porque só duas vezes a vi levando sacolas do Laird's General Store para o quarto. Talvez enfie saquinhos de castanhas ou barrinhas doces nos bolsos do casaco quando vai ao caixa eletrônico do posto de gasolina sacar dinheiro todo mês, mas se for mesmo isso o que faz, nunca vi nenhum sinal. O que tenho visto é Cissy levar uma grande garrafa térmica, do tipo que a gente usa para pôr sopa ou chocolate quente. O que tem lá dentro, não sei, mas nem Kelly nem eu vimos aquela garrafa térmica antes de Jane aparecer. Também vemos a garrafa térmica ao pé da porta do quarto de Jane, de manhã. Em geral, Cissy não é de fazer fofoca, mas quando tentei falar sobre Jane, ela só disse que ela mantinha o quarto bem limpo. Muito embora seja do nosso direito querer informações a respeito do único hóspede de longo prazo no Moonstone — ainda mais um hóspede que se registrou com nome falso e sem documento de identidade —, sempre temos vergonha quando falamos dela na frente de Cissy, por isso não falamos mais do assunto. Apenas a aceitamos como parte de nossa vida, uma mulher calada, chamada Jane, que veio de algum lugar do Leste.

# Lydia

O primeiro telefonema de Winton foi em dezembro. Há algumas coisas para lembrar daquele dia, e ela bem que tentou, mas a única coisa que não precisa fazer esforço para recordar era que havia semanas que o telefone não tocava. É um aparelho bege e velho, com botões grossos que dão uns apitos barulhentos quando a gente aperta, e fica preso na parede, junto à porta da cozinha. Já estava no apartamento quando ela alugou e, ao lado, riscado na madeira do portal, estão alguns números de telefone. Ela reconheceu alguns quando se mudou para lá, há pouco mais de seis anos. O de Gary Beck, por exemplo; ele tinha uma relação estranha com a mãe dela, ia visitá-la de vez em quando e levava schnapps, que os dois bebiam na cozinha. Os dois adoravam música country e escutavam uma estação de rádio de Hartford que tocava canções de Loretta Lynn e Conway Twitty. Quando Lydia era adolescente, e mesmo depois, achava que as noites deles na cozinha eram a coisa mais sinistra do mundo. Fumar cigarros, beber schnapps de hortelã e aumentar o volume do rádio quando tocava uma canção triste. Ao lembrar aquelas noites, agora, ela acha engraçado como as coisas mudam quando a gente olha para elas com olhos mais velhos.

    Imagina se Gary Beck ainda está vivo. Até onde consegue lembrar, nunca teve esposa nem filhos nem parentes. Não se envolveu com os voluntários dos bombeiros nem com a igreja nem com nenhuma das organizações que promovem macarronadas festivas na escola primária para levantar fundos. Ela nunca viu Gary Beck fora da cozinha da sua mãe. Foi diretor da agência do correio da cidade até sofrer um ataque cardíaco e ser internado num asilo público de idosos, em Torrington. Tudo isso aconteceu há dezesseis anos, um ano antes de sua mãe morrer. Certa manhã, pelo telefone, ela contou para Lydia o que tinha acontecido com Gary, mas não transmitiu nenhuma emoção, apenas o interesse necessário para reproduzir os fatos. Ela duvida que a mãe tenha ido visitá-lo em Torrington. Lydia nunca conseguiu entender direito qual era o relacionamento entre os dois, mas por mais que sua mãe fosse muito bonita e por mais que se arrumasse muito bem toda manhã para ir trabalhar no banco, Lydia tinha absoluta certeza de que ela bateria a porta na cara de qualquer homem depois que o pai dela morreu. Além do mais, ela e a mãe nunca foram o que alguém podia chamar de pessoas próximas, e assim Lydia se perguntava se entre ela e Gary não teria havido outra coisa além de companheirismo. Ele era inofensivo, trazia bebida e tinha sempre uma coisa gentil para dizer quando a mãe abria a porta para ele entrar. *Está bonita hoje, Natalie*, era o que ele dizia de mais específico e mais galanteador. Gary continuava a aparecer, na época em que Lydia e Luke foram morar com a mãe dela, no ano em que ele nasceu, mas depois disso Lydia nunca mais o viu. Era difícil para ela imaginar quem poderia precisar do telefone de Gary Beck com tanta frequência que tivesse de riscá-lo naquela parede. Talvez alguém que trabalhava na agência do correio. Talvez outra mulher mais velha para quem ele levava schnapps e com quem ouvia country. Quando olhava para os números riscados bem fundo na madeira do portal de pinho, torcia para que fosse mesmo isso. Torcia para que ele tivesse uma mulher diferente cada noite.

Os outros nomes podiam ser de qualquer um — Lisa, Matthew, Evelyn. Só Gary Beck tinha a honra de ter o sobrenome riscado na madeira. E depois, o único número de telefone que Lydia jamais conseguiu esquecer. O da sua falecida sogra, Connie Morey. Os Morey devem ter tido também aquele mesmo número, pois os telefones foram instalados primeiro no condado de Litchfield. A família morava em seu casarão velho e maltratado, longe da Main Street, desde o final do século XIX. Eles mesmos construíram a casa, como faziam questão de dizer, antes de qualquer coisa, e continuavam morando lá. Na parede estava escrito só Connie, seguido daqueles mesmos algarismos que Lydia discava quando estava no ensino médio, na época que Earl Morey foi, por um breve período, a única pessoa que ela queria ver e com quem ela queria falar. Earl era irrequieto e malicioso, jogador de futebol, com uma grande moita de cabelo vermelho em cima da cabeça. Adorava Grateful Dead, pescaria e fumar maconha e era capaz de imitar qualquer pessoa em quem pusesse os olhos e que ouvisse por mais de um minuto. Seu alvo predileto era o irmão mais velho, Mike, que falava ceceando e não era muito esperto. Também sabia fazer uma imitação cruel da mãe de Lydia, e bastou ela entreouvir, do seu quarto, uma só vez aquela imitação para pôr Earl para fora do apartamento. Mesmo assim Lydia o adorava, porém, mais do que a ele, adorava a ideia da família dele, que não era nem um pouco rica, nem forçando muito a imaginação — na maioria, eram eletricistas, pintores de parede e jardineiros em Harkness, o colégio interno que fica em Bishop, logo depois do limite da cidade. Era e é o tamanho deles e sua longevidade o que os torna formidáveis. *Há segurança nos números,* dizia a mãe de Lydia, enquanto soprava nuvens de fumaça mentolada da cozinha, por trás da mesa de fórmica junto à qual ela sentava toda noite com sua garrafa de schnapps, como um general em seu quartel, discursando para as tropas. *Sei disso, porque faz muito tempo que tenho de me virar sozinha. Mesmo antes de seu pai morrer, há cem anos, éramos só nós. Só ele e eu contra o mundo.*

Segurança não era o que atraía Lydia para Earl Morey. O que adorava nele era que a fazia rir. Às vezes, ria tanto que perdia o fôlego, o que deixava Earl ainda mais animado. No ensino médio, ele tinha o pavio curto, era meio estourado, e mais de uma vez foi expulso do jogo de futebol por provocar brigas com os jogadores dos outros times. Essa tendência brutal às vezes deixava Lydia nervosa, mas ela dizia para si mesma que era só da boca para fora, que ele era inofensivo, gostava de chamar a atenção. Além do mais, ninguém conseguia fazer Lydia rir tanto quanto ele. Ela experimentava aquelas risadas como uma espécie de exorcismo. Aquilo silenciava a voz das meninas que cochichavam pelas suas costas na escola e abafava os palavrões embriagados de sua mãe, e por um breve período não houve nada senão pulmões ofegantes, coração palpitante e lágrimas que escorriam pelo rosto.

Ela riu com Earl por um tempo, antes de casarem, e ainda riu um pouco depois. Quando terminou o ensino médio, Earl foi trabalhar com os irmãos, na equipe de manutenção em Karkness, e se integrou ao corpo de voluntários dos bombeiros. Em poucos meses, parou de jantar em casa. Saía direto do trabalho para o corpo de bombeiros ou para o Tap, onde comia carne-seca com batatas fritas. Chegava depois das dez horas, embriagado e irritado com alguém ou com alguma coisa. Dava beliscões na bunda de Lydia e dizia para ela servir o lanche. Em pouco tempo já estava chamando Lydia de Lanchinho. Primeiro em casa e depois na frente da família dele. O pai achava engraçado. Aguente firme, garota, disse para ela na ceia de Natal no primeiro ano, você sabe como ele é. E logo vieram algumas noites, no início, uma a cada seis semanas ou dois meses, e depois, todo fim de semana, quando ele chegava em casa de porre e acordava Lydia, sem conseguir falar coisa com coisa. Tanto fazia ela reagir ou não, sentar na cama ou se encolher no travesseiro, fingindo dormir, o resultado era o mesmo. Um murro forte no lado da cabeça ou do corpo. Em geral, era só um. No máximo, dois. E às vezes, depois, ele a agarrava pelos ombros e sacudia com violência. Em geral estava escuro, por isso Lydia não via Earl, mas nas poucas vezes em que ele acendia a luz ou a lua lá fora iluminava o quarto o suficiente, ela via um rosto tão torturado e distante que era como se ele estivesse possuído, como uma espécie de demônio zumbi. A essa altura, Lydia sabia que a única coisa capaz de afastar um demônio era outro demônio; então, quando encontrou uma coisa que era capaz de livrá-la de Earl e também, muito provavelmente, do resto da cidade, ela não hesitou. O fato de o demônio deles ser o filho dela foi uma consequência horrível, mas Lydia achava que não tinha outra escolha. Só que as outras pessoas não pensavam assim, sem dúvida sua mãe não pensava assim, nem Connie Morey, que morreu faz muito tempo e cujo número, como uma ameaça que vinha do além, continua riscado na madeira ao lado do aparelho de telefone de Lydia.

Ela pôs o volume da campainha o mais baixo possível, é verdade, mas mesmo assim, toda vez que o telefone toca, ela dá um pulo. Sempre, desde o dia em que, de manhã, recebeu a ligação de Betty Chandler. *Agora ele conseguiu, Lydia*, foi o que ela disse, curto, frio e distante, como se estivesse comunicando que o time de futebol americano do colégio tivesse perdido um jogo. *Você tem de ir à casa de June Reid agora mesmo*, acrescentou, antes de desligar. Betty Chandler e Lydia cresceram juntas, fizeram juntas o jardim de infância, a escola fundamental e o ensino médio. Até foram melhores amigas no verão e no outono, quando tinham doze anos — fizeram prendedores de cabelos com fitas azuis e cor-de-rosa e venderam cada um por um dólar —, mas quando Chip, o irmão mais velho e gorducho de Betty, tentou dar um beijo em Lydia, sem sucesso, após o baile da oitava série, e depois contou para os outros que ela deixou que ele passasse a mão debaixo da sua calcinha, Betty se afastou de Lydia e espalhou fofocas de que ela estava perdida. E foi assim, por nada, que ela virou sua inimiga e continuou a ser sua inimiga durante mais de trinta anos. Mais tarde, quando Luke nasceu e Earl pôs Lydia para fora de casa, a mãe dela disse que soube que Betty andava contando para as pessoas que Lydia estava aceitando dinheiro para fazer sexo com trabalhadores imigrantes na fazenda Morgan, em Amenia, do outro lado da divisa do estado, os homens que vinham do México ou do Caribe toda temporada para colher maçãs, e que foi assim que ela ficou grávida. A mãe de Lydia perguntou se era mesmo verdade. Por mais doloroso que fosse, Lydia nunca condenou a mãe nem nenhuma outra pessoa. Quando descobriu que estava grávida, sabia que, se a cor da pele do bebê fosse escura como era a do pai, ela seria banida como uma vagabunda. Lydia nunca refutou nenhuma das histórias que as pessoas contavam, nunca revelou a verdade para ninguém, nem para Luke, e quando ele ficou crescido o bastante, já não queria ter nada a ver com a mãe, muito menos com o pai, que tinha sido um segredo durante toda sua vida. Havia boas razões para manter o pai dele em segredo. E, mesmo que não fossem boas, eram razões necessárias, Lydia acreditou durante muito tempo. Um só casamento seria desfeito por causa daquele bebê, o casamento dela.

Muitas vezes Lydia esteve a ponto de ir embora, meter Luke

no carro e sumir. Mas, de certo modo, ela se acostumou às fofocas e risinhos no mercado, aos olhares maldosos das mulheres, e aos olhares indecentes dos homens. Um ano virou dois, dois viraram cinco, e foram tantos anos que ela nem conseguia contar. Depois de Earl, houve outros homens, mas, na maioria, não foram além de umas poucas noitadas com bebidas. Só Rex, que apareceu muitos anos depois, continuou por perto durante tempo suficiente para ter a aparência de um futuro, mas o rastro de destruição que ele deixou para trás curou Lydia da esperança de ter de novo algum futuro. Depois de Rex, ela não foi mais a lugares como Tap nos fins de semana, não houve mais homens, e não sobrou nenhuma esperança de que sua vida seria qualquer coisa de diferente daquilo que já era.

Além de visitar Luke na prisão nas montanhas Adirondacks e ir a Atlantic City para a lua de mel com Earl, ela nunca saiu de Wells. *Algumas árvores amam o machado,* um coroa beberrão balbuciou, certa noite, no Tap, no tempo em que ela ainda ia lá, e alguma coisa no que ele disse bateu como uma verdade e, mais tarde, quando Lydia se lembrou do que ele disse, discordou e achou que, ao contrário, a árvore se acostuma com o machado, o que não tem nada a ver com amor. Ela se acomoda em ser picada aos poucos, lasca por lasca, golpe por golpe, até que não sente mais nada, e depois, como nada mais pode acontecer, o que sobra se desfaz e vira pó.

Depois que Luke morreu, o telefone tocava muito. A funerária, a companhia de seguros, o banco, a polícia. Houve telefonemas de pêsames, também, mas em geral eram de pessoas ligadas à vida de Luke, e não à sua; pessoas que o adoravam e que trabalhavam para ele, algumas que estiveram na prisão com ele, umas poucas antigas namoradas, gente que ela nunca tinha visto, e alguns caras que nadavam com ele no colégio, seus antigos treinadores. Lydia ouvia as vozes deles como se viessem do fim de um túnel comprido. Suas vozes eram como ecos, e muitas vezes ela afastava o fone do ouvido até perceber que a ligação estava chegando ao fim. Fazia todo o possível para se mostrar educada, mas era duro ouvir desconhecidos falarem da vida do filho, que ela mal conhecia e na qual estava apenas começando a ser incluída outra vez.

Todas as pessoas para as quais ela trabalhava telefonaram. Os Moody, os Hammond, Peggy Riley, os Tuck, os Hill e os Massey, que eram donos de um apartamento alugado por temporada em Salisbury, aonde ela ia todo dia de carro para trocar e lavar a roupa de cama, limpar os vasos sanitários e as banheiras. Até Tommy Ball ligou, apesar de fazer anos que Lydia não o via. Todos prestaram suas condolências, disseram para ela dar tempo ao tempo e para avisar, por favor, quando estivesse refeita e pronta para vê-los de novo. Lydia nunca telefonou para nenhum deles. Mas ela deu tempo ao tempo, *todo o tempo*, sussurrou para si mesma várias vezes. Dos treze anos até a manhã em que Betty Chandler ligou, Lydia tinha trabalhado quase todos os dias de sua vida. A partir daquele momento, ela parou. Calculou que, com o pouco dinheiro que tinha economizado, daria para pagar as despesas por um ano, mais ou menos, e dar conta dos pagamentos mínimos dos dois cartões de crédito, se tivesse de usá-los para pagar sua comida. Sem ter de trabalhar, ela quase não andava de carro, e assim não tinha de gastar com gasolina. Gás e luz estavam incluídos no aluguel, que era só de cem dólares por mês, e as contas do telefone e da tevê a cabo eram as mais baratas possíveis.

Mais tarde, descobriu-se que Luke tinha um seguro de vida e que Lydia, inexplicavelmente, era a beneficiária. Ele também tinha feito um testamento, do tipo que a gente baixa na internet e registra no cartório, o que ele fez. Deixou para Lydia o que tinha — sua poupança, sua empresa de paisagismo e seus bens, que, como estava morando na casa de June, foram destruídos. Juntando o seguro, a poupança e os vinte mil dólares que os irmãos Waller pagaram pela sua empresa de paisagismo — dois caminhões, uns poucos carrinhos de mão, uma retroescavadeira e um monte de ferramentas —, ela agora podia levar a vida, do jeito que estava levando, durante muito tempo sem trabalhar. Ao longo da maior parte da vida, Lydia sonhou com o dia em que não teria de se abaixar, esfregar, empurrar e lustrar móveis para os outros. E o dia chegou. Mais um demônio que tomava o lugar de outro.

June nunca telefonou, nenhuma vez. Ela abraçou Lydia rapidamente no enterro de Luke, mas foi embora da cidade antes que Lydia pudesse dizer alguma coisa. Lydia não ficou surpresa, em função da maneira como ela se comportou na manhã em que Betty Chandler telefonou. Lydia fez o que Betty Chandler mandou e foi direto para a casa de June. Largou o telefone e, de roupão e chinelos, dirigiu o carro por cinco quilômetros até a Indian Pond Road. June estava agachada junto à caixa de correio, o corpo dobrado para a frente, longe da casa, bem na ponta da curta pista asfaltada e sinuosa da entrada de carros. Lydia saiu de seu carro e andou na direção dela. Em volta, fervilhava o que pareciam centenas de bombeiros, policiais e socorristas. Quando Lydia chegou mais perto, June virou o rosto para o outro lado, como se quisesse se esquivar de uma labareda quente e, ao fazer isso, ergueu o braço e brandiu a mão na direção de Lydia, como fazemos para enxotar um animal indesejado ou um mendigo. Mesmo naquele cenário irreal, era deprimente ser recebida daquela forma por uma mulher que, até então, havia demonstrado apenas bondade por ela. De toda aquela manhã, é esse gesto o que Lydia recorda com mais clareza. Não o telefonema desalmado de Betty Chandler, nem as luzes vermelhas que piscavam, nem o exército de atônitos funcionários dos serviços de emergência, nem o policial lhe dizendo que seu filho tinha morrido. Era a mão de June que a enxotava, o primeiro sinal de que tudo estava prestes a mudar, já havia mudado, e que logo ela descobriria de que maneira. Aqueles dedos que oscilavam, sacudiam, ainda se movem na frente dos seus olhos como uma bandeira negra que ondula ao vento, comemorando tudo o que terminou. Mas Lydia nunca a condenou por isso. Não só suas perdas foram maiores que as de Lydia naquele dia, se é que se podem medir as perdas em número de pessoas, como também foi June quem viu tudo acontecer. O que quer que ela tenha passado, o que quer que tenha visto, aquilo significava que Lydia não era mais suportável.

Ela imaginou que June punha a culpa em Luke, como faziam tantos outros. Mas a verdade era que ela não tinha a menor ideia. O que Lydia sabia era que, além da agonia de perder Luke, havia um golpe duro e repetido por ter perdido June — que estranho ter saudade de outra mulher —, essa mulher com a qual Lydia jamais acreditou que pudesse ter alguma relação nem amizade, muito menos amor. E Lydia continuava a amar June. Tinha trazido seu filho de volta para ela. Quando June conheceu Luke, fazia mais de oito anos que Lydia não falava com o filho. Nem uma palavra, desde aquela tarde na seção de congelados do mercado. Um ano, e depois oito. E depois June.

Ela apareceu na porta da casa de Lydia. Como ninguém atendeu, ficou esperando na varanda. Quando Lydia chegou em casa naquela tarde, viu uma mulher, mais ou menos da sua idade, ou mais velha, que parecia qualquer uma das mulheres para quem trabalhava. Jeans desbotado, boa forma física, camiseta de algodão simples, mas de boa qualidade, cabelo louro com riscas prateadas, preso num rabo de cavalo, brilho de um metal caro nos pulsos, no pescoço e nas orelhas. No início, achou que fosse alguém de Nova York que vinha passar o fim de semana e estava à procura de uma faxineira. Quando se apresentou como a mulher na vida de Luke — *Este ano, nós começamos a morar juntos*, disse ela —, Lydia imediatamente pediu para ela ir embora. Sabia a respeito de June Reid. Sabia onde morava e de onde era. Uma vez, passou de carro pela sua casa velha de pedra na Indian Pond Road, entre o pomar de macieiras e os campos que levavam à propriedade da Igreja da Unificação. Era cercada por pinheiros antigos e alfarrobeiras, e no inverno parecia uma imagem de cartão de Natal. Lydia tinha ouvido por alto alguma coisa, das pessoas para as quais trabalhava, gente que conhecia June Reid de Nova York e que dizia que ela havia se juntado com um cara local, muito mais jovem. E depois Bess Tuck, uma das empregadas que moravam na cidade durante a semana, lhe perguntou na lata se Lydia conhecia a mulher que seu filho andava namorando. Quando respondeu que não, Bess disse que a mulher era alguém que tinha jantado *nesta mesma casa*, enfatizou, como se fosse a coincidência mais incrível e espetacular.

Lydia sabia de June Reid, mas nunca a tinha visto. E lá estava ela. Por mais que quisesse saber como estava Luke, o que andava fazendo e com quem estava morando, Lydia entendeu na mesma hora que não ia conseguir suportar que aquela mulher lhe desse notícias do filho. Era como se tivesse tomado seu lugar ou houvesse obtido sucesso naquilo em que ela havia fracassado. Porém, mesmo que o tipo de amor que eles tinham fosse totalmente diferente do tipo de amor que existe entre mãe e filho, Lydia não queria que aquilo fosse esfregado na sua cara por alguém cujos motivos para ficar com um homem tão jovem não podiam ser bons. *Vá embora*, disse enquanto lutava para abrir a porta do apartamento. *Não sei quem é você nem quero saber. Vá embora.*

June voltou algumas semanas depois e, mais uma vez, Lydia entrou correndo e fechou a porta. Mas da vez seguinte em que ela apareceu, Lydia não se enfiou no apartamento nem lhe disse para ir embora. Ficou parada na porta e deixou que June falasse. Ficava constrangida de lembrar, mas se sentiu lisonjeada de ver aquela mulher elegante tão determinada a perder seu tempo com ela. Depois de um intervalo, convidou-a para entrar. June se demorou e falou, e voltou outra vez, e mais outra. No fim, Luke veio junto. Nas primeiras vezes, ele mal falava e Lydia ficava calada, morrendo de medo de dizer alguma coisa errada e fazer o filho se irritar e ir embora. Lydia lembra como June provocava Luke por causa dos garotos que ele contratava — *tarados, batedores de carteira, maconheiros*, dizia ela, com voz de quem repete uma ladainha — e sempre conseguia arrancar uma reação. Ele tentava ficar zangado, mas quando começava, ela dava uma cotovelada na barriga ou nas costelas dele e ele, contra sua vontade, se derretia. Durante aquelas primeiras sessões, as piadinhas ligeiras de June eram o único som que quebrava o silêncio e, por mais difícil que fosse ver Luke tão à vontade com uma mulher da idade dela, Lydia se sentia agradecida. Aos poucos, depois de algumas visitas, Luke começou a falar do trabalho, até fez perguntas para Lydia sobre as pessoas para quem ela fazia faxina. E então, certa manhã, antes de Lydia sair para trabalhar, ele apareceu sozinho. Sentaram-se no primeiro degrau da entrada do prédio, ficaram calados quase todo o tempo, olhando uns adolescentes que estavam raspando a tinta da cerca de uma casa, na Lower Main Street. Por fim, Lydia virou-se para Luke e, com cuidado, colocou a mão no seu ombro. Ela começou a falar: *Luke, eu...* Mas ele a interrompeu, suas palavras saíram depressa, dando a impressão de que ele tinha ensaiado o que ia dizer. *Vamos nos dar bem... Não quero falar nunca desse assunto, porque não há nada que você possa dizer que seja capaz de mudar o que aconteceu. E eu não quero que você tente. Eu nunca vou compreender. Eu não quero. Mas nós vamos nos dar bem.* Antes que Lydia pudesse responder, ele a abraçou — rapidamente, a primeira vez em anos, seu pescoço contra o rosto dela, seu cheiro, sua pele tão próximos, de uma hora para outra. Luke ficou de pé e, quando se virou para o caminhão com a intenção de ir embora, deu um tropeção atrapalhado e quase caiu. Eu preciso, começou a dizer, se equilibrando de novo, depois fez uma pausa, *parar de beber de manhã*, o lampejo de um sorriso, os olhos brilhando. Isso foi menos de um ano antes de morrer. Nada e depois tanto, e depois nada.

Algumas semanas após o acidente, Lydia parou de atender o telefone. Às vezes saía do apartamento, caminhava até o parque municipal e voltava para evitar o telefone. Outras vezes, apenas deixava o telefone tocar à vontade. Aumentava o volume da televisão para abafar o som da campainha e, se alguém insistia e continuava ligando, ela se metia no chuveiro e aumentava o volume do rádio que ficava pendurado acima da ducha. No fim, o telefone se calava.

Quando veio o primeiro telefonema de Winton, ela atendeu. Foi o dia em que ela fugiu das mulheres na cafeteria. Quando chegou em casa naquela noite, sentou-se à mesa da cozinha. Aquele primeiro acesso de raiva, quando ouviu as mulheres fazendo fofoca, deixou-a assustada, e o pânico obrigou-a a voltar depressa para casa. Porém, quanto mais tempo ficava sentada à mesa da cozinha e quanto mais repetia na memória o que tinha ouvido, mais forte voltava aquela raiva, e Lydia sentia de novo a violência ardente de antes. Havia alguma coisa naquelas mulheres — que não eram, nem de longe, mais descuidadas ou cruéis do que qualquer outra pessoa que Lydia tivesse encontrado, e provavelmente eram até bem menos do que muitas —, havia algo no que diziam e na maneira como falavam que fez Lydia ter vontade de agredir alguém. Aquela raiva e as fantasias feias que isso deflagrou fizeram Lydia tremer na cozinha escura. Ficou ali sentada por tanto tempo e tão imóvel que, quando o telefone tocou, ela se levantou com um pulo. Mesmo no volume mais baixo, a campainha a deixou apavorada e ela saiu da cozinha correndo para atender. A voz do outro lado era de homem, um homem jovem. Lydia ficou aliviada por não ser ninguém que conhecesse. Pareceu ter sotaque britânico, mas com uma curva ou desvio na entonação que ela não conseguia localizar. Perguntou se ela era Lydia Morey e, quando respondeu que sim, ele disse: *Srta. Lydia Morey, a senhora ganhou na loteria.* Besteira, ela entendeu. Obviamente, algum tipo de engano ou trote, mas ela foi apanhada desprevenida. Não ganhei nada, disse, sem pensar. Depois disse que ele estava falando com a pessoa errada, porque não tinha jogado em nenhuma loteria. Como se já previsse sua resposta, ele disse: *Às vezes apostamos nas loterias sem saber: por exemplo, se a senhora tem uma assinatura de revista ou é associada ao clube de descontos Triplo A, pode estar concorrendo automaticamente a um sorteio de loteria.* Ela explicou que não tinha nenhuma assinatura de revista nem era associada de coisa nenhuma. E então ele riu. Uma risada grande, vasta, calorosa. Depois, pronunciou o nome dela, lentamente. *Srta. Lydia. Morey.* Apenas disse seu nome, o mesmo que, quando foi dito em voz alta na cafeteria, pouco antes, a fizera fugir correndo. Quando o homem disse o nome, um calor rasgou seu peito. Um senso de humor que Lydia nem sabia que ainda existia dentro dela foi atiçado e algo parecido com um sorriso contraiu seus lábios. Antes que o homem pudesse falar qualquer outra coisa, Lydia bateu o telefone com força no gancho.

# June

Não existe lago nenhum. Faz horas que ela está andando devagarzinho por essa pedregosa estrada de terra e não há nenhum sinal de água, nenhum carro, nenhuma pessoa, nenhuma evidência de que ela tomou a saída correta depois de Missoula ou que virou o carro na direção certa, cada vez que a semiestrada bifurcava. Está perdida e sozinha e isso não tem importância. Nada tem importância, pensa, e não é a primeira vez. Repensa a ideia seguidas vezes — a ideia de que nenhuma escolha que faça terá algum impacto sobre ela ou sobre quem quer que seja. Antes, se sentiria exultante com a ideia de existir sem compromisso e sem consequência, mas a experiência não é nem um pouco parecida com o que ela imaginava. Isso é uma semivida, um purgatório pela metade, em que seu corpo e sua mente coexistem, mas ocupam realidades separadas. Seus olhos olham para o que está à frente — a estrada, uma árvore caída —, mas sua mente vasculha o passado, julga cada opção que fez, revive cada fracasso, desencava o que ela negligenciou, aceitou sem questionar, ao que não deu atenção. O presente quase não deixa vestígio. As pessoas que ela vê não são as que abastecem o Subaru de gasolina, que a ultrapassam na rodovia, que dão o troco quando vendem garrafas de água e amendoins em minimercados e postos de gasolina. Em vez disso, é Luke fazendo um apelo para ela numa cozinha que não existe mais; é Lolly que berra com toda a força de seus pulmões de catorze anos em frente a ela, numa mesa de restaurante em Tribeca; é Adam que ergue os olhos para ela, chocado, com a mão de uma garota na sua; é Lydia que anda em sua direção naquela manhã, antes de saber o que tinha acontecido, e a confusão e a dor em seu rosto, quando June a rechaça com um gesto. Ela retorna a essas lembranças e as repete sem parar, esmiúça cada palavra pronunciada, testemunha mais uma vez cada erro. Quando esgota um, outro aparece. Sempre aparece outro.

Sua mente salta para Annette, sua amiga de infância. Annette morava no mesmo bairro, a dois quarteirões, em Lake Forest, e as duas passavam as noites de sábado ora na casa de uma, ora na casa de outra, brincavam com a coleção de cavalinhos de porcelana de Annette, ouviam discos de Shaun Cassidy e Jackson 5, faziam listas dos lugares onde iam morar quando crescessem, imaginavam que carros iam dirigir e como seriam seus maridos. June lembra que convenceu Annette a ir com ela para um acampamento numa colônia de férias em New Hampshire, no verão, entre a quinta e a sexta séries. Annette era uma criatura tímida, cautelosa, que relutou em aceitar. Para as duas, seria a primeira vez que ficariam longe de casa e dos pais, e Annette deu uma porção de motivos para não ir — os garotos do ensino médio que serviam de salva-vidas na piscina, um espetáculo de cavalos árabes puro-sangue que ia se apresentar em Chicago. Mas June não largou do seu pé durante as férias de Natal, até convenceu a mãe a telefonar e explicar para a superprotetora mãe de Annette como era o lugar, onde ela mesma tinha ido quando menina.

June não consegue lembrar por que era tão importante que a amiga fosse junto, mas recorda com clareza o tríptico de primas de Beverly Hills que, desde o primeiro dia, com naturalidade e sem nenhuma cerimônia, se instalaram no topo da hierarquia social. Tinham nomes chiques — Kyle, Blaire e Marin — e as três tinham o mesmo cabelo castanho-claro ondulado, que batia nos ombros.

No segundo dia completo no acampamento, as Beverly, como passaram a ser chamadas, pediram a June que trocasse de beliche com uma garota corpulenta, de voz áspera, chamada Beth, que era da Filadélfia. Beth e as Beverly tinham sido escaladas para ficar na mesma cabana, quatro depois da cabana de June e Annette, e as irmãs explicaram que Beth não só tinha cheiro de alho como ficava olhando para elas quando trocavam de roupa. O rosto de June formiga de calor quando lembra como escapuliu para sua nova cabana, com seu saco de dormir e sua bolsa de equipamentos, enquanto Annette almoçava com as outras no refeitório. Mais tarde, naquela noite, uma das orientadoras apareceu ao lado de Annette na cabana de June e insistiu em falar com ela. A orientadora não acreditou quando Beth explicou que June tinha pedido para ela trocar de beliche. June se lembra de como o rosto de Annette relaxou quando ela entrou na cabana. Imagina o que deve ter passado pela cabeça de Annette naquele momento — ali estava June, sua melhor amiga, a garota com quem fez uma viagem cruzando metade do país, que sabia tudo o que havia para saber sobre ela e que estava usando a pulseira de corda que Annette tinha feito para ela no seu aniversário, dois anos antes. Ali estava June e ela ia esclarecer tudo. June se lembra de como tentou parecer natural, fingir que nada de importante havia acontecido ou mudado. Mas quando se enrolou ao dar a explicação, já ensaiada, de que pareceu uma boa ideia que as duas tivessem mais espaço e conhecessem pessoas novas, o rosto de Annette congelou. Olhou para June como se estivesse vendo uma pessoa completamente desconhecida. Não foi raiva nem dor o que se manifestou em seu rosto pálido e estupefato. Foi pavor. June, naquele instante, tinha se transformado numa pessoa que ela não conhecia. June pôde ver a cabeça de Annette balançando, como se tivesse sido atacada pelas costas por uma pedrada. Pôde, até mesmo, vê-la virar na direção da porta da cabana e ir embora, enquanto as Beverly abafavam os risos em seus beliches. Annette voltou para casa na manhã seguinte. As duas meninas tinham doze anos e nunca mais se falaram. Naquele outono, quando voltaram para a escola Lake Forest Country Day, no primeiro dia do sexto ano, Annette nem olhou para ela.

June tenta imaginar o que foi feito da vasta coleção de cavalinhos de porcelana de Annette. Ela cuidava meticulosamente de cada um, limpava e lustrava sua cobertura vitrificada, escovava com cuidado as crinas e as caudas. Havia dúzias deles, talvez centenas. Annette era filha única e seu quarto de brinquedos tinha fileiras de estantes de livros cheias daqueles cavalinhos. Ela e a mãe faziam viagens especiais a antiquários em Springfields, Bloomington e Chicago a fim de ampliar a coleção. Annette também tinha um cavalo de verdade, um quarto de milha castrado e castanho, que ela chamava de Tilly, que ficava numa cocheira em Winnetka, mas June nunca foi convidada para ir lá, depois da aula, nem nas manhãs dos fins de semana, quando Annette montava. June não consegue se lembrar do pai de Annette com clareza, só lembra que fumava cachimbo, sempre usava gravata e raramente estava em casa.

Depois da oitava série, Annette e Tilly foram para o Leste, para um colégio interno com aulas de equitação na Virginia, e June não soube mais dela. Há mais de duas décadas, quando se divorciou de Adam e se mudou para Londres, June estava almoçando com uma cliente, a esposa americana de um banqueiro inglês, e quando mencionou sua infância em Lake Forest, a mulher perguntou se ela se lembrava de uma menina chamada Annette Porter. Tinha sido sua companheira de alojamento na Universidade Butler, em Indiana. *Grande garota*, disse a mulher, e apesar de o simples fato de ouvir o nome de Annette lhe causar remorso, mesmo depois de tantos anos, June ficou aliviada de saber que Annette fora bem recebida numa república de estudantes universitárias e que, naquele círculo, tinha sido considerada uma ótima garota.

Até então, nunca havia passado pela cabeça de June o que podia ter acontecido com a mãe de Annette quando a filha saiu de casa. Ela imagina a pobre mulher assumindo a tarefa de Annette, lustrando, limpando e escovando as crinas e as caudas de todas as miniaturas. June a imagina agora, tantos anos depois, sussurrando para eles, instigando os cavalos a atropelar a traidorazinha da vizinhança, que antigamente visitava sua casa, a mesma que persuadiu Annette a ir para uma colônia de férias e que, no final, recebeu o que merecia.

Faixas azuis cintilantes entre os pinheiros e, por um momento, June tenta lembrar onde está. Desenha um mapa imaginário, enquanto reduz a velocidade do carro e para. Montana. Parque Nacional das Geleiras. Lago Bowman. Desliga o motor e observa o lago aparecer nos intervalos entre as árvores. Isso faz June se lembrar de quando Lolly viu, à noite, uma luz piscar pelas janelas da casa, em Connecticut, e ficou convencida de que era um óvni. Ela só sossegou depois que foram lá fora ver, e é claro que era só uma estrela acima das árvores, para além da casa, que ora ficava visível, ora sumia. Mesmo assim, Lolly insistia em dizer que tinha visto uma coisa fora do comum.

June sai do carro e procura uma trilha. A floresta de pinheiros é densa e, embora seja o início da tarde, em meados do verão, o ar bate frio embaixo dos galhos. Ela pega o casaco no carro e enrola em volta dos ombros, antes de se afastar da estrada. As folhas dos pinheiros estalam de leve embaixo de seu tênis e os pássaros piam enquanto ela abre caminho rumo a uma clareira que dá para uma estreita faixa de praia pedregosa. De lá, dá para ver o lago inteiro, que é muito mais comprido do que largo e faz uma curva suave para a esquerda, à medida que vai chegando ao fim. Pinheiros incrivelmente retos cobrem a encosta dos morros que ondulam a partir da linha-d'água e, para além deles, erguem-se maciças montanhas de pedra. A paisagem faz June lembrar-se do norte da Escócia, embora os morros dali sejam mais jovens, concluiu ela, menos gastos pela erosão.

O sol deslumbra a superfície da água recortada pelo vento e o efeito é ofuscante. Por um momento, não existe outra coisa que não luz. June estreita as pálpebras por causa do reflexo, mas o resto dela se rende, espera que seja apagado. É um breve alheamento, varrido de um sopro, tão depressa quanto veio. Uma nuvem avança pelo céu e devolve cor e forma às árvores, aos morros, à praia de seixos. June espera que o sol volte a brilhar, e isso logo acontece. Ela sente o calor do sol — imenso, perfeito — e estremece quando ele recua. Fica parada e espera que o nada radiante retorne e, quando acontece, recorda um chuveiro de motel, quatro ou cinco dias atrás, em Gary, Indiana, com a pressão da água tão forte que ela via estrelas, enquanto deixava o jato metralhar a nuca e a cabeça. June ficou parada ali até a água esfriar. Pensa na manhã, dentro do carro, dias antes, logo depois da divisa da Dakota do Norte, quando ela acordou ao som de motores de ônibus escolares parados e de gritos. Enrijecida por ter dormido no banco da frente e só semidesperta, olhou piscando para as crianças de camiseta e calção que arrastavam mochilas e lancheiras. Não tinha a menor ideia de onde estava, quem era e o que estava vendo. Olhou para o prédio de tijolos, para os ônibus, para a bandeira americana que ondulava num mastro branco. Nada era familiar. Sua memória estava vazia e, em vez de ficar assustada ou aflita, sentiu-se vagamente aliviada, ainda sem compreender por quê. O encanto se quebrou quando percebeu seu casaco de linho embolado entre o banco do motorista e a porta do carro. Bastou a visão do tecido amassado para que todas as últimas lembranças voltassem, inclusive a saída da estrada interestadual, já bem tarde, na noite anterior, e a procura de um motel e, em vez disso, a descoberta de um lugar sossegado no estacionamento ao lado da escola.

Mais nuvens se juntam e a superfície da água escurece. Agora, ela consegue ver com mais clareza a forma comprida e retangular do lago. É exatamente como Lolly descreveu num cartão-postal, certa vez. *Impecável*. Foi a palavra que ela usou. Tinha achado um lugar impecável, o primeiro em sua viagem através do país, depois do primeiro ano na faculdade, talvez o único lugar assim que existe. Lolly já estava fora de casa havia um mês quando o cartão-postal chegou, o primeiro e único que mandaria para June naquela viagem. Foi uma das quatro únicas cartas que Lolly pôs no correio para ela e a única que June guardou. O cartão-postal tinha ficado na casa, enfiado entre as páginas de um de seus caderninhos de endereços, mas June se lembra com clareza da imagem do lago, o Kalispell, em Montana, o carimbo do correio, o envelope duro, as frases curtas, de telegrama, espremidas entre a borda do cartão-postal e seu endereço de correio, em Londres.

*M., um lugar impecável. O primeiro até agora. Volto para NY no início de agosto. Até breve. L.*

A fotografia no cartão-postal mostrava neve no pico das montanhas ao redor, mas agora, sob o sol de verão, os picos eram de rocha nua. A não ser por essa diferença, o lago parece igual. Aqui, nada muda, pensa June, mas então se lembra de um artigo que leu às pressas, há alguns anos, sobre o aquecimento global e o desaparecimento gradual das geleiras do Parque Nacional das Geleiras. Olhando para o lago e para aquelas montanhas, June se pergunta quando a geleira que fez aquele lugar esteve presente pela última vez, quanto tempo durou. Será que ainda restava algum vestígio dela quando Lolly esteve ali?

Lolly tinha dezoito anos quando olhou para aquele lago. Dezoito anos, rebelde e recém-emancipada. Tinha morado com o pai em Nova York, durante os últimos três anos do ensino médio. Sua opção de ficar com ele depois do divórcio nunca foi questionada ou contestada, embora June tenha ficado sem fôlego quando Adam, e não Lolly, lhe contou. Nunca lhe ocorreu que Lolly fosse morar em Nova York. Mas quando June conversou com ela no dia seguinte, Lolly deixou claro que, assim como June tinha tomado sua decisão de deixá-los e ir para Londres, ela também tinha tomado sua decisão. Passaram o Natal juntas na casa em Connecticut, no primeiro ano após o divórcio, mas o encontro terminou de forma abrupta, com Adam voltando de carro para a cidade no dia de Natal, depois que Lolly abriu seus presentes. Não houve nenhuma briga, nenhuma explosão dramática, foi só a impaciência de Adam e o silêncio hostil de Lolly. Ela implorou ao pai que a levasse de volta para Nova York, mas ele insistiu para ela ficar, já que June só ia ficar nos Estados Unidos por duas semanas e elas deviam passar o tempo juntas. Lolly se recolheu ao seu quarto no primeiro andar e ela e June passaram os dias seguintes em andares separados. Lolly se recusou a comer com June; em vez disso, comia tigelas de granola e bebia xícaras e mais xícaras de café, no primeiro andar da casa. No Natal seguinte, June ficou em Londres e, nos anos em que Lolly estudou no Vassar College, June e Adam combinaram de alternar a custódia da filha, um ficava com a véspera, o outro, com o dia de Natal.

Lolly nunca foi a Londres. Em cinco anos, nunca viu a galeria que June abriu. Nunca viu a antiga cocheira adaptada onde ela morava, em Islington. Nunca aceitou nenhum dos convites de June para encontrar-se com ela em Londres e viajar para a Europa, Escócia ou Irlanda. Ela respondia uma em cada sete ou oito ligações, apenas o bastante para evitar que se criasse uma crise que desse margem a alguma briga mais séria. Quase não mandava e-mails, antes que as mensagens de texto por celular se tornassem acessíveis, e mesmo então os recados ou explicavam seu silêncio ou indicavam mais silêncio ainda. *Vou ligar este fim de semana. Atolada. Não posso ir a NY semana que vem quando você estiver lá. Desculpe.* Havia uma porção de pedidos de desculpa.

O sol volta, o lago brilha de novo. Os pássaros pararam de piar e June ouve a voz de Lolly se erguer em meio aos ruídos de um restaurante na noite em que ela e Adam explicaram o que ia acontecer. June tinha acabado de descrever com toda a calma que ela e Adam iam se divorciar, continuariam a ser amigos, e que ela ia abrir uma galeria de arte em Londres para seu patrão. June explicou que Lolly podia ir com ela ou ficar em Nova York, para terminar o ensino médio. *Mentirosa!*, gritou Lolly, do outro lado da mesa do restaurante na Church Street, onde eles costumavam jantar nas noites de domingo, depois de voltar de Connecticut. O restaurante ficou em total silêncio. *Você mentiu para nós! Você mentiu, você mentiu! Promete ser mãe e esposa e agora prefere não ser nem uma coisa nem outra.* Lolly ficou olhando furiosa, calada, antes de ir correndo para o banheiro. June pode vê-la, a mesa entre as duas. Adam a seu lado, mudo, os olhos de Lolly sem lágrimas, examinando desesperados o rosto da mãe, em busca de algo familiar, qualquer coisa que ela fosse capaz de reconhecer. June conhece aqueles olhos. São os de Annette, os de Luke, os de Lydia. Pessoas que, quando a olharam pela última vez, viram uma desconhecida.

June nunca discutiu com Adam sobre a questão da custódia. Nunca contou para Lolly que Adam tinha sido acusado de assédio sexual na Universidade de Nova York, que eles tiveram de fazer um acordo que levou todas as suas economias e quase metade da herança que o pai dela havia deixado quando June tinha vinte e poucos anos. A única coisa que June fez questão de conservar foi a casa em Connecticut, que ela e Adam tinham terminado de pagar só no ano anterior. Na época, June dizia para si mesma que foi o inesperado revés financeiro que a fazia procurar com afinco vendas cada vez maiores na galeria, expor artistas mais lucrativos e viajar pelo mundo afora, a fim de obter as duas coisas. Mas agora ela sabe que não conseguia encarar o que estava acontecendo em casa, o que estava se passando com Adam. Sabia que havia fogo por trás da fumaça da acusação, muito embora quisesse acreditar no marido, quando ele enfatizava que a aluna que havia apresentado a queixa era instável. Lolly era criança na época em que June optou por acreditar em Adam. Para que essa crença se sustentasse, era preciso que Lolly nunca soubesse, e ela nunca soube. Ou, se soube, nunca deixou escapar. June se pergunta se todo aquele esforço para guardar segredos, na época, explicava por que, anos depois, ela deu cobertura para Adam outra vez. Será que aquilo tinha virado quase instintivo? Lolly também nunca soube do telefonema que June recebeu de uma amiga, Peg, que naquele momento, disse ela em sussurros, estava vendo Adam de mãos dadas com uma jovem num restaurante no bairro Long Island City. *Não deixe que ele veja você*, disse June para Peg, antes de anotar às pressas o endereço, sair voando da galeria para a rua 57 a fim de pegar um táxi.

    O restaurante ficava no terraço de um prédio de lofts na Jackson Avenue, perto do MoMA PS1. Quando June entrou no elevador de carga, tentou imaginar como Adam tinha chegado ali. Como havia imaginado que era outro planeta, aquele território habitual de jovens *hipsters* e músicos. Uma fronteira para os criativos e os falidos, mas acima de tudo um lugar onde ninguém o conhecia e onde jamais seria apanhado. June avistou Adam na mesma hora e ficou aliviada por Peg não ter cometido nenhum erro. O alívio era, enfim, a ausência de dúvida que ela sentira durante anos, mesmo depois do processo judicial. O alívio era que ele, agora, seria apanhado de uma forma que não deixava margem para explicações ou subterfúgios. Antes de se aproximar da mesa, June viu os meses à sua frente. Um divórcio com termos que ela determinaria, aceitando afinal a proposta que seu chefe, Patrick, tinha feito havia muito tempo, de abrir uma galeria em Londres e que ela, até então, não tinha se permitido analisar com seriedade. June observou Adam olhar fixamente para a garota, enquanto ela, com a mão livre, tocava na tela de seu PalmPilot, e pela primeira vez June pôde ver Adam em seu estado natural. Não aquele que ela inventara a fim de manter a harmonia familiar. Ele parecia velho, ali, rodeado por calças de flanela, tatuagens e barbas, inclinado na direção daquela garota distraída, apenas alguns anos mais velha que sua filha. Esse era seu marido. O homem que um dia ela havia amado e com quem desejara construir uma vida. O homem que ela ainda amava, apesar de anos de rancor por ele. Isso, ela admitia, era a sua liberdade. June podia ver tudo isso, enquanto caminhava na direção da pequena mesa junto à parede. A garota de cara larga e cabelo preto, os dedos de Adam enfiados por dentro do punho de sua blusa, a mesa cheia de broa de milho.

June pôde ver o futuro naquele dia, mas não conseguiu ver Lolly. Não conseguiu pensar com cuidado, durante os passos seguintes. Não conseguiu resistir ao apelo desesperado de Adam para não contar à filha nada acerca de seu caso e não conseguiu perceber que, não contar a verdade para a filha, acabaria por influenciar tudo o que aconteceria mais tarde entre elas. June andou rápido demais na direção da mesa e se moveu rápido demais, depois — no tribunal, no acordo com Adam, na ida para Londres. June sabe que, se pudesse refazer seus passos após o telefonema de Peg, repensar todas as decisões que tomou, não estaria agora na beira de um lago, no meio daquele fim de mundo. E todos ainda estariam vivos.

June dá alguns passos, voltando do lago, e se apoia no pinheiro mais próximo. Perto do tronco, o musgo verde e grosso recobre partes da terra, que parecem travesseiros espalhados. Ela tenta imaginar Lolly naquele lugar, há cinco anos. Será que ficou exatamente aqui? Será que também parou assim que avistou a água e andou até essa clareira? Será que deitou nesse musgo? Será que olhou para o lago e viu sua mãe, como June vê Lolly, agora? Será que foi aqui que ela começou a perdoar a mãe? E se estivesse viva, poderia, quem sabe, perdoar June agora?

Ela senta no musgo úmido e encolhe os joelhos junto ao peito. Não há paz para ela, aqui. Lembra-se da manhã em Dakota do Norte, dois dias antes, quando resolveu encontrar aquele lugar. Lago Bowman. As duas palavras vieram à sua mente quando observava o que deviam ser alunos de uma escola de verão, que formavam filas no estacionamento, com grande alarido, e entravam na escola. *Lago Bowman, Parque Nacional das Geleiras, Montana.* Viu novamente as pequenas letras maiúsculas e pretas no pé do cartão-postal, soletrando a localização do cenário e, quando os ônibus escolares fecharam as portas e se arrastaram na direção da estrada, ela pôde visualizar o lago ancestral, sua superfície cristalina refletindo o céu sem nuvens. June recordou a cuidadosa letra manuscrita de Lolly no outro lado do cartão-postal e quando leu as frases curtas, vezes seguidas, compreendeu onde ela precisava estar. Um lugar em que sua filha não havia encontrado nenhum defeito.

# Rebecca

O carro dela está simplesmente parado ali. Uma caminhonete Subaru novinha, com placa de Connecticut. Preta, como todos os carros que me lembro de ver ali. Acho que podíamos telefonar para o registro de placas de carros, se quiséssemos de fato saber quem é ela, mas isso parece intrometido demais e, de certa forma, acho que todas nós — eu, Kelly, Cissy — temos a sensação de que ela, apesar de quase não falar nada, nos adotou como suas protetoras. De quê ou de quem, não sei, mas de alguma coisa deve ser. Portanto, identificar a placa de seu carro — seja lá como se faz isso, não tenho a menor ideia —, ou bancar o detetive e sair investigando por aí, me dá a sensação de romper o trato que fizemos quando aceitamos que ficasse aqui de forma anônima. Se tivéssemos algum problema, na época, poderíamos ter recusado, mas optamos por aceitar e, portanto, ela fica aqui, seja lá quem for.

No Natal, um dos irmãos de Kelly veio de Seattle com a esposa e os filhos, abrimos os presentes na manhã de Natal e preparamos uma grande ceia naquela tarde. Kelly deixou um bilhete embaixo da porta do quarto 6, convidando-a para se juntar a nós na ceia das quatro horas, mas ela nunca respondeu, nem apareceu, mas também não esperávamos que o fizesse. Cissy deixou para ela uma lata de seus biscoitos, cobertos de chocolate e caramelo, além do que parecia o mesmo pão de banana e cereja que fazia para nós. *Pelo menos está comendo um pouco de fruta*, brincou Kelly, mas pela primeira vez pareceu verdadeiramente preocupada.

Ando preocupada desde o dia em que ela chegou. Alguma coisa na maneira como ela se arrastava, quando caminhava, sua exaustão, e o máximo de participação de que era capaz, o modo como seus olhos ficavam fisicamente abertos, mas permaneciam fechados, em todos os outros aspectos. Era um olhar que eu reconhecia. *E se ela tiver vindo aqui para morrer? E então?*, perguntei para Kelly, depois do Ano-Novo. *Então ela veio aqui para morrer e não há nada que possamos fazer, nada que devamos fazer*, respondeu ela, prática, como sempre. *Mas se ela morrer e disserem que nós a aceitamos no hotel sem um documento de identidade e sem cartão de crédito, não vamos nos meter numa encrenca? Não existe alguma lei contra isso?* Kelly olhou para mim daquele jeito que ela faz, aquele jeito que me dá a sensação de ser uma criança ridícula a quem pediram para ficar acordada uma hora além de seu horário de ir para a cama. Ela olhou para mim desse mesmo jeito quando levantei, pela primeira vez, a ideia de sair de Seattle e vir para cá. E continuou a me olhar desse jeito, até que afinal mudou de ideia. Uma coisa na Kelly é que ela é muito apegada aos seus hábitos — levantar às seis horas toda manhã, café puro e ovo cozido, ler jornal junto à janela às sete horas, vestir calça de veludo Levi's e blusa de flanela L.L. Bean e mais nada, nada mesmo —, e também é corajosa. Se tiver uma razão muito boa para mudar de rumo, ela vai mudar. Naquele caso, a razão muito boa era eu.

Eu queria ir embora de Seattle por causa da minha amiga Penny. Era minha melhor amiga e eu a conhecia desde pequena. Crescemos em Worcester, Massachusetts, em grandes famílias católicas, a casa dela ficava a seis casas da minha e, depois do ensino médio, entramos juntas na Universidade de Massachusetts. Nunca houve nada entre nós duas, porque naquela época nenhuma de nós era capaz de admitir que era gay. Nem no ensino médio nem na faculdade e mesmo depois, por um tempo. Lembrem-se, eram os anos 70, início dos 80, e embora não faça tanto tempo assim, para os gays é como se fosse outro milênio. Sobretudo em Worcester, Massachusetts, e especialmente em nosso bairro, que era cem por cento católico e cem por cento heterossexual, pelo menos na superfície. Depois que Penny e eu nos formamos na faculdade, fomos para Nova York. Ela queria trabalhar em publicidade e nem eu nem ela queríamos saber de voltar para Worcester. Eu sempre fiz planos de ir para Boston, mas Penny sabia se impor quando queria e, portanto, ficamos mesmo em Nova York. No início, eu morava no Upper East Side e, em vários aspectos, aspectos nada bons, dava a sensação de ser um lugar onde já havíamos morado. Na maioria, famílias, casais heterossexuais e alunos de pós-graduação que rachavam apartamentos em grupos de cinco e viviam dando festas. Demoramos algum tempo, mas acabamos descobrindo o caminho para outras partes da cidade e, por fim, para outras mulheres, como nós. Mas, puxa vida, como éramos lentas! Ou pelo menos eu era lenta. Quando encontramos o caminho, Penny se integrou àquele meio rapidamente e, em poucos meses, tinha uma namorada, um emprego de garçonete em Henrietta Hudson e fazia parte de um time de softball. Eu não gostava muito de bares, bebedeiras e drogas. Aquelas garotas eram loucas. A maioria, como nós, vinha de outro lugar e tinham vidas inteiras de solidão e raiva armazenadas dentro de si. Quando chegavam a Nova York e descobriam umas às outras, punham tudo para fora, e muitas vezes era uma bagunça. Penny começou a se enrolar e, depois que foi morar com a namorada, uma jovem chamada Chloe, nós nos separamos. Eu trabalhava na recepção do Lowell Hotel, na rua 63 Leste, naquela ocasião. O hotel era uma joia do estilo art déco, e muitos quartos, na verdade, são apartamentos onde as pessoas moram o ano inteiro ou ocupam quando estão na cidade para fazer compras, ver espetáculos e tratar de negócios. Eu adorava a ordem do hotel, as flores frescas, os uniformes novinhos em folha dos funcionários, a história. Dava a impressão de que nada de ruim podia acontecer ali. Fui promovida duas vezes naquele primeiro ano e, quando eu tinha vinte e seis anos, já era assistente da gerência. Na verdade, nada tinha corrido tão bem para mim em toda a vida — nem a infância, a escola, a família ou o mundo gay, em Nova York. Em todos esses lugares, eu sempre fui o patinho feio. Mas no hotel Lowell eu me encontrei. Sabia onde era útil e onde não era e, assim, passava a maior parte de meu tempo lá, mesmo fora do horário de trabalho. Enquanto isso, Penny era garçonete, enchia a cara e desistia de seu sonho de trabalhar em publicidade. Tinha feito umas entrevistas e mandara seu currículo para algumas empresas quando chegamos a Nova York, mas depois que foi morar com Chloe, tudo aquilo parou. Chloe tinha sido criada no Brooklyn por pais hippies e, desde o ensino médio, vivia sem dar bola para convenções. Tinha dezenove anos e já havia largado o Barnard College na época em que conheceu Penny.

Só quando Penny teve a primeira overdose de heroína é que comecei a entender o que estava acontecendo. Muito embora tivesse passado mais de um mês sem que nos víssemos, eu ainda era seu contato de emergência no bar, portanto, depois que ela ficou dois dias sem aparecer no trabalho, telefonaram para mim. Localizei Chloe, que de início tentou disfarçar. Enrolou-se com uma história de que Penny estava em casa gripada, mas só depois que fui ao apartamento delas no Lower East Side e bati na porta, Chloe enfim me contou a verdade. Penny estava na enfermaria psiquiátrica em Bellevue, para onde tinha sido transferida depois da desintoxicação no setor de emergência. O hospital só ia liberá-la depois de alguns dias, no mínimo. Mais tarde, naquela noite, Chloe me contou que ela queria que Penny se mudasse para outro lugar, que Penny era uma calamidade e que toda aquela história era demais para ela encarar. Apesar de ter sido Chloe quem introduziu Penny no consumo de heroína, juntamos as coisas de Penny e as levamos para meu apartamento conjugado, em Murray Hill. Chloe me deu uma carta para entregar a Penny, rompendo sua relação, eu suponho, pois nunca li. O que ela escreveu, seja lá o que dizia, convenceu Penny a não tentar mudar a opinião de Chloe.

Penny morou comigo durante o resto daquele ano. Houve mais duas overdoses, centenas de dólares roubados da minha carteira e uma tentativa de suicídio, antes de Penny finalmente concordar em ir para uma clínica de reabilitação, perto de Seattle. Viajei com ela até lá e fiquei durante os primeiros dias, mas depois voltei para meu trabalho, em Nova York. Ela ficou na clínica por oito meses e depois morou por um ano e meio numa casa de reabilitação, com outras mulheres que estavam se recuperando da dependência. Nessa época, fui uma dúzia de vezes a Seattle para visitá-la. A família de Penny, como a minha família também em relação a mim, não quis nem saber dela quando foi visitá-los, o que ocorreu no Natal depois de seu primeiro ano em Nova York. Não é uma história original, exceto porque decidimos contar para nossos pais na mesma noite. Marcamos para a hora do jantar, que era às seis, em ambas as casas. No meu caso, meu pai saiu da mesa e minha mãe chorou no guardanapo. No caso dela, pediram que fosse embora da casa e só voltasse quando, nas palavras do pai, *pusesse a cabeça no lugar*. Penny bateu na minha porta naquela noite, dormiu num saco de dormir no chão do meu quarto e voltamos juntas para Nova York assim que o dia nasceu. Minha mãe, afinal, acabou vindo me visitar, mas só depois que papai morreu, e mesmo então pediu que eu não a deixasse morta de vergonha falando sobre minhas garotas. Conhecê-las, e é claro que sempre havia uma, era algo fora de questão. Portanto ela morreu fazendo o melhor que pôde, mas, no fim, eu e ela mal nos conhecíamos.

Depois daquele Natal, muito claramente, Penny e eu éramos, uma para a outra, as únicas pessoas com quem podíamos contar. Além de meu emprego no hotel Lowell e das pessoas com quem eu trabalhava ali, Penny era o meu mundo. Todo fim de semana de folga e todo período de férias que eu tinha, pegava um avião para Seattle para vê-la. Numa dessas viagens, conheci Kelly. Era gerente da pousada Holiday Inn, perto da casa de reabilitação onde estava Penny, e uma noite, depois de eu ter viajado o dia inteiro de Nova York até lá, Kelly me registrou na recepção da pousada. Ela estava agitada, eu percebi, mas agia de maneira profissional. Mais tarde, soube que ela estava trabalhando na recepção porque um de seus funcionários havia avisado em cima da hora que estava doente, e por isso Kelly teve de perder a partida de basquete do sobrinho. Lá estava ela, com sua calça de veludo cinzenta e seu blazer verde do Holiday Inn, torcendo o nariz como sempre faz quando está irritada. Lembro que a observei durante muito tempo, de cabeça abaixada, o cabelo espremido num rabo de cavalo com os fios soltos flutuando na cabeça como fios de ouro, enquanto passava meu cartão de crédito e resmungava baixinho o tempo todo. Por fim, ergueu os olhos e, pela primeira vez, vi seus olhos — verdes, dourados, radiosos como árvores de Natal, no rosto coalhado de sardas. Não sei como alguém feito eu, que nunca antes tivera uma namorada, pôde reconhecer o amor quando ele chegou, mas aconteceu. Eu tinha uns casos em Nova York, mas sentia medo das mulheres. Ou eram muito atrevidas e masculinas ou bebiam demais. Além do mais, na época, as pessoas não eram tão abertas, portanto, se eu me sentia atraída por alguém, na maior parte das vezes eu não sabia se ela era gay. E nunca fui uma pessoa com talento para se impor, nunca fui do tipo que toma a iniciativa e dá o número do telefone. E assim eu trabalhava o tempo todo e, nos horários de folga, conversava com Penny pelo telefone e ficava ouvindo ela me contar das reuniões a que ia e das mulheres sóbrias com que morava. E eu ia visitá-la. Isso durou alguns anos, antes daquela noite no Holiday Inn. Vi aqueles olhos de árvore de Natal e minha vida mudou.

*Três noites?*, perguntou Kelly quando olhou para a minha reserva. Não acho que eu tenha respondido com nada além de um meneio de cabeça. *Por acaso você não estará livre para uma bebida ou um lanche, numa dessas noites?* Simples assim. Depois de duas palavras e uma resposta afirmativa com a cabeça, ela me convidou para sair. Kelly nunca foi tímida, graças a Deus. Fiz que sim com a cabeça de novo, e na noite seguinte ela me levou para uma churrascaria perto da enseada e, uma noite depois, fez para mim uma sopa de creme de aspargos e uma grande salada com peras, castanhas e pedaços de abacate. Foi a melhor salada que já comi. Sei que parece loucura, mas na noite seguinte eu estava num avião para Nova York, rascunhando meu pedido de demissão. Tinha vinte e oito anos e estava sozinha havia muito tempo. Eu via as pessoas da minha idade no hotel Lowell saindo de casa para morar juntas e fazendo planos, dando festas e viajando juntas nas férias, se casando. Eu sabia que não queria mais ficar sozinha. Fui morar com Kelly dois meses depois e arranjei um emprego no Westin Hotel, na função de gerente do turno da noite. Em comparação com o hotel Lowell, era uma tremenda queda na escala profissional, mas não dei importância. Eu estava com Kelly e perto de Penny, que não tomava drogas, morava numa casa de reabilitação e trabalhava vendendo anúncios para um jornal local. Durante bastante tempo, fui o que as pessoas chamam feliz. Não sentia mais aquela dor funda, solitária, que sentira na barriga durante toda a minha vida — em Worcester, quando era pequena, na escola em Amherst e em Nova York, especialmente nos fins de semana, depois que Penny foi embora. Pela primeira vez na vida, eu estava feliz. Não tínhamos uma tonelada de amigos — Kelly tinha os irmãos e os sobrinhos e eu tinha a Penny. Fora desse círculo, gostávamos de uma porção de gente, colegas, vizinhos e conhecidos, mas, acima de tudo, fazíamos companhia uma à outra. Nunca nos envolvemos no mundo gay, que era coisa para jovens, e nós já não éramos jovens. Tínhamos nossa pequena tribo e isso bastava.

Kelly e Penny brigavam, às vezes, como irmãs, e não era raro que o jantar terminasse abruptamente, porque Penny tinha ficado furiosa com algo que Kelly havia dito, em geral sobre política, e ia embora de repente, num acesso de raiva. Mas Kelly adorava Penny e era sempre a primeira a ir à casa dela se um cano rebentava ou se ela precisava de ajuda para pintar a parede de um quarto. Penny sempre aparecia na nossa casa com essa ou aquela namorada — nenhuma durava muito — para ver filmes com a gente, cozinhar, se vangloriar das vitórias de seu time de *softball*, reclamar do trabalho. Não tinha de andar muito, pois morava duas casas à direita, depois do fim de nossa rua. Kelly sempre dizia que, se o vento soprasse na direção certa, ela podia jogar um *frisbee* da nossa varanda que o brinquedo ia pousar na casa de Penny.

E então, sem mais nem menos, uns garotos entraram pela janela da casa de Penny, a estupraram e a estrangularam até a morte. Estava sozinha, a garota com quem andava saindo — sempre gostava de meninas bem jovens — ainda estava na faculdade e, naquela noite, dormiu no alojamento de estudantes. Era tarde, três ou quatro horas da madrugada, e ninguém ouviu seus gritos. Ainda tenho pesadelos sobre o que ela deve ter sofrido, como deve ter ficado aterrorizada. Durante bastante tempo, só consegui falar por balbucios. Kelly também. Nós duas nos limitamos a coexistir quase em silêncio, durante meses. Íamos trabalhar, voltávamos para casa, íamos para a cama depois de comer alguma coisa. O mundo tinha mudado e nós mudamos junto com ele. A família de Penny não veio para o enterro. Uma amiga de Nova York apareceu e também uma garota que conhecemos na faculdade, o pessoal do jornal onde Penny se tornara editora assistente, seu time de *softball*, suas amigas reabilitadas. E nós. Eu estava péssima, por isso Kelly falou e o chefe de Penny também. E depois, acabou. Não existem palavras precisas o bastante para descrever como o mundo se torna vasto e vazio quando perdemos alguém tão importante em nossa vida quanto era Penny para mim. De repente, todo esforço parecia inútil. Sobrevivi ao enterro e aos meses seguintes. Mas as manhãs se tornaram mais duras, à medida que o tempo passava, e sair da cama se tornou cada vez mais difícil. Comecei a faltar ao emprego, dizendo que estava doente e, no fim, acabei avisando que ia tirar férias. Uma semana virou três semanas e o gerente do hotel telefonou e disse que precisávamos conversar. Pelo telefone, sem sequer me encontrar com ele, avisei que ia me demitir. Falei aquelas poucas palavras, desliguei o telefone e me encolhi de novo no meu travesseiro. Ele telefonou para Kelly, no trabalho, e contou o que tinha acontecido, antes que eu tivesse tempo de fazer isso. Contou que compreendia que eu estava passando por uma fase difícil e que o hotel tinha prazer de me dar uma folga e me ajudar, como fosse possível, mas ele não ia aceitar minha demissão. Kelly voltou para casa na mesma hora, enfiou um monte de suéteres, meias e cosméticos numa bolsa, me tirou da cama — de camiseta e calça de moletom —, me levou para fora, pela porta da frente, até o banco do carona de seu carro CRX. *Mudança de cenário*, foi tudo que ela disse, quando começou a dirigir — falou tanto para si mesma quanto para mim, eu creio. Pegou a rodovia 101 e rumou para o sul, pelo litoral. Na hora em que chegamos a Astoria, logo depois da divisa com o Oregon, o sol estava se pondo no Pacífico. Passamos a noite numa pequena pousada, mas a cidade era fantasmagórica — morros íngremes amontoados de maneira absurda, com casas caindo aos pedaços, todas debruçadas em cima de um cais mal-assombrado. Partimos na manhã seguinte e voltamos para a rodovia 101 até a ponta de Grays Harbor. Pegamos a rodovia 109 ao norte de Aberdeen, tudo praia. Casinhas, alguns motéis e praia. No alto, por cima de tudo, o céu mais selvagem que já vi na vida. Era maio, ainda estava frio, mas encostamos o carro na beira da estrada e caminhamos por cima das dunas até a água. Kelly me disse para tirar os sapatos, apesar de a areia estar geladíssima. O vento batia feroz e, enquanto caminhávamos, nos inclinávamos contra o vento, a fim de continuar avançando. Era o primeiro esforço verdadeiro que eu fazia em meses, me inclinava para a frente, para não deixar que o vento me empurrasse para trás ou me derrubasse. A areia dura e fria embaixo dos pés dava uma sensação boa, e lembrei que eu tinha um corpo e que ele podia sentir. Caminhamos pela beira do mar durante vinte minutos, mais ou menos, e afinal avistamos o Moonstone. Visto da praia, parecia abandonado, mas quando chegamos mais perto, notamos algumas luzes acesas no escritório e uma faxineira passando o aspirador entre os quartos. O lugar estava com a tinta velha descascada e vazio, em sua maior parte, mas fiquei espantada com a maneira como o prédio parecia estar agachado bem na beirada da praia, embaixo daquele imenso céu azul e diante do vasto Pacífico. Ali estava ele, feio e inviável, enquanto o vento cheio de areia espirrava em suas calhas enferrujadas. Pensei em Penny.

Passamos aquela noite no quarto 6, onde Jane está agora, mas muito antes de ter um bom colchão. E então, depois de eu ficar algumas semanas tentando convencer Kelly, vendemos nossa casa, largamos nossos empregos e sacamos os fundos de nossa aposentadoria privada. Durante esse período, voltamos duas vezes para Moclips e regateamos com os Hillworth, que tentavam se desfazer do negócio havia anos, mas também sofreram para largá-lo. No fim, compramos Moonstone e a casa dos Hillworth, que fica ao lado, e toda a mobília maltratada e arranhada que havia dentro de ambos os prédios. Kelly e eu tínhamos trabalhado em hotéis durante toda nossa vida e agora éramos donas de um hotel que precisava de nós, tanto quanto nós precisávamos dele. Os irmãos de Kelly acharam que tínhamos enlouquecido, mas sabiam que, depois que tínhamos tomado nossa decisão, não havia como voltar atrás.

Isso aconteceu há quatro anos, e ainda penso em Penny todo dia. Falo com ela enquanto caminho pela praia e lhe pergunto o que faria a respeito disso ou daquilo. Perguntei a ela sobre Jane, se eu devia ficar preocupada, e no rumor do oceano ouço Penny dizer para eu ficar atenta, mas deixá-la em paz. Toda vez que volto andando pela praia na direção do Moonstone, me lembro da primeira vez que vi o hotel e me lembro do rosto de Kelly sorrindo para mim, naquela ventania louca. E mais tarde, naquela noite, nós duas nos arrastamos para a cama, naquele quarto que fica bem pertinho do mar. Depois que apagamos as luzes, me enfiei embaixo das cobertas e dei graças a Deus. Por Kelly, por esta vida. E por Penny, que me ajudou a sobreviver quando era garota em Worcester e cursava a faculdade, e que me convenceu a ir para Nova York. No escuro, agradeci diretamente a Penny por ser minha melhor amiga, por aceitar ir a um centro de reabilitação em Seattle, por se manter sóbria e por ficar lá tempo suficiente para que eu me registrasse na pousada Holiday Inn naquela noite. Eu tremia quando imaginava todos os possíveis desdobramentos, se qualquer uma dessas coisas tivesse ocorrido de modo diferente ao longo do caminho. Se meus pais tivessem mudado para outro bairro, em Worcester, quando eu era pequena. Se Penny nunca tivesse conhecido Chloe e nunca tivesse experimentado a heroína. Se naquela noite, em Seattle, eu tivesse me hospedado no Econo Lodge ou no Days Inn. Se eu tivesse ido embora de Nova York um dia antes, ou depois. Se o empregado de Kelly não tivesse faltado por motivo de doença. Se a namorada de Penny tivesse dormido na casa dela, em vez de ficar no dormitório da faculdade, naquela noite em que os garotos apareceram. Se Penny tivesse trancado as janelas. Eu me encolhi toda, junto a Kelly, e me afundei o mais que pude nas suas costas. Eu me lembro da camiseta amarelo-clara fininha que ela usava, enquanto eu apertava o rosto contra ela e sentia sua pele quente por baixo do pano. Aqui. No espaço em volta e entre nós. Esse tecido, essa pele, esse cheiro, essa mulher.

Durante a maior parte daquela noite, fiquei acordada, pensando em tudo isso, no esquema que parecia vir à tona quando eu trazia à mente cada acaso e cada encontro acidental, e quebrava a cabeça para entender todos os possíveis sinais e significados; mas qualquer vestígio de um propósito se desintegrava quando eu recordava o caos e a brutalidade do mundo, o genocídio e os desastres naturais, toda a agonia. Nunca me senti tão pequena, tão humilhada, pela vastidão do universo e pela fragilidade da vida. Examinei o teto do quarto, com manchas de umidade, e imaginei as coisas que o quarto tinha visto, as pessoas. Quem mais teria se aconchegado ali, se abraçado a alguém que amava, como se fosse a última coisa que importava no mundo? Quem mais teria rezado para que nunca mais amanhecesse? Rezado para que nunca mais tivesse de sair daquela cama e deixar tudo para lá.

Naquela noite, a lua brilhou através das cortinas da janela fechada, sua luz de contos de fadas desenhando uma trilha ondulada até o horizonte, até o outro lado do mundo. Duas portas de carro bateram com força no estacionamento — uma, e depois, após um momento, a outra. Fiquei à espreita para ouvir o barulho de passos ou de chaves na fechadura, mas não ouvi nada senão as ondas que quebravam lá fora. Da cama, eu podia ver estrelas. De início, só as grandes; radiantes, gordas, solitárias, palpitantes de tensão; e depois o resto: minúsculas e ardentes, um bilhão de grãos de areia jorrando pelo céu noturno, brilhante como a praia do paraíso. O corpo de Kelly adormecido levantava e baixava a cada respiração. Eu me encolhi mais junto dela, apertei mais forte. Comprimi o nariz nas suas costas e, através do algodão fino, veio o cheiro do sabonete do motel em sua pele. Ondas quebravam e explodiam na praia, uma depois da outra, de novo e de novo. Eu estava em casa.

# George

Meu filho Robert casou este ano. Ele e a esposa, Joy, foram para Big Sur, na Califórnia, em lua de mel, e me telefonaram para dizer que tinham ido à prefeitura em Oakland para se casar. Será que eu gostaria de ter estado lá? Claro que sim. Mas é assim que queriam fazer e isso é da conta deles. Fiquei feliz com o telefonema. Joy é uma mulher forte e acho que os dois combinam muito. Não são exatamente o que a gente chamaria de um casal amoroso ou tremendamente emotivo, pelo menos a julgar pelo que percebi nas poucas vezes que vi os dois juntos. Mas, levando em conta o que o Robert tem passado, combinar muito é mais do que conveniente. Os dois são jornalistas, os dois são ocupados, os dois são negros, os dois não bebem, e nem um nem outro quer ter filhos. Robert escreve sobre direitos humanos nas prisões do governo e Joy é obcecada pelo impacto dos oleodutos nas terras indígenas. Passa bastante tempo no Canadá. Quando conversam sobre o que andam fazendo, os dois tendem a gritar, portanto, quando conversamos por telefone ou nos encontramos pessoalmente, e nem uma coisa nem outra acontece com frequência, tento desviar a conversa para temas seguros, como o clima e animais de estimação. Amo o Robert e sei que ele me ama, mas desde que a mãe dele morreu, há mais de uma década, Robert ficou afastado de Atlanta, das irmãs e de mim. Por exemplo, as irmãs dele até hoje não conheceram Joy e os dois estão juntos há mais de quatro anos. Elas não fazem muito alarde disso. Para elas, Robert sempre foi menos que um irmão, mais parece um primo ou um tio jovem que de vez em quando aparece para fazer uma visita. O internato em Connecticut, cinco meses em hospitais, dois anos de reabilitação e tratamento em Minnesota e, afinal, a faculdade em Portland mantiveram Robert distante, às vezes mesmo durante o Natal. Elas sabiam muita coisa a respeito dele — com muita frequência, e com grande peso, ele era o tema principal das conversas à mesa de jantar em nossa casa —, mas acho que nunca tiveram chance de conhecer o irmão.

Robert era um bebê irrequieto. Ficava zangado com facilidade, chorava à toa. Depois do jardim de infância, sossegou, ficou tranquilo. Esperto feito o diabo, pulou a quarta série, mas nunca parecia estar bem consigo mesmo. Não fazia amigos com facilidade. Tinha um amigo na vizinhança, o Tim, um garoto gorducho, ruivo, com quem jogava o RPG Dungeons & Dragons e para o qual escrevia histórias de aventura, que Tim ilustrava com desenhos complicados, de soldados de quatro braços que empunhavam espadas e fadas mágicas sem olhos. Robert jamais gostou de compartilhar conosco os livrinhos que os dois faziam. Kay e eu dávamos umas espiadas às escondidas, de vez em quando, na hora em que Robert estava tomando banho, só para verificar o que estava acontecendo. A maioria das histórias e dos desenhos era pura fantasia. De vez em quando, a gente via algo perturbador que sugeria aquilo que nossa antiga terapeuta de família chamava de raiva deslocada. Agora, penso nos macacos gêmeos que tiveram as cabeças cortadas por um grifo alado, com um bico enorme. Como se o simbolismo visual já não fosse bastante óbvio, a história de Robert contava a morte dos macacos gêmeos como algo necessário para a sobrevivência da raça humana. Que eles iriam comer todo o Tempo e, se não fossem mortos, o mundo rodaria fora do horário. De um lado, algo impressionante para um menino de dez anos, mas especialmente perturbador, já que o quarto dele ficava porta com porta do quarto de suas irmãs gêmeas, que desde o nascimento prematuro precisaram de muita terapia do desenvolvimento e fisioterapia e que comiam um bocado de… bem, um bocado de tempo. Porém, por mais que me lembre de ficarmos abalados com essa história em especial, não me lembro, de todo modo, de ter conversado com Robert sobre o assunto na ocasião; nem de discutir com ele acerca dos livros que ele e Tim faziam. Tenho certeza de que devíamos ter feito isso, assim como tenho certeza de que eu devia ter feito muitas coisas de um modo diferente. Mas acho que nos sentíamos gratos por ele considerar Tim um amigo, por mais que fosse arredio e assustador. Juntos, exalavam um ar sorrateiro à sua volta e passavam horas no quarto um do outro, rabiscando e conversando numa espécie de linguagem cifrada, que Key e eu nunca conseguíamos decifrar. Talvez toda a dissimulação e todo o escapismo fossem um sinal do que aconteceria mais tarde com Robert, mas, como pais, a gente não tem nenhuma ideia do que as coisas significam. De certa forma, tudo o que os filhos pequenos fazem e dizem está numa linguagem cifrada. Tenho certeza de que certos pais são especialistas em tradução, mas no caso de Robert, não sabíamos nem por onde começar. Além do mais, tínhamos muitas outras coisas que nos davam preocupação naquela época. As meninas precisavam de atenção e, quando se tornaram três, Kay recebeu o diagnóstico de câncer de mama, no terceiro estágio. Robert tinha dez anos na época, e muitas vezes saía sozinho para cuidar da própria vida. Entre os cuidados com as meninas, os horários das sessões de quimioterapia e o esforço para manter de pé a corretora de imóveis de que meu irmão e eu éramos donos, não sobrava muito tempo para eu jogar basquete nem para ver os deveres de escola de Robert. O engraçado é que Robert era a única pessoa, o único setor de nossas vidas com que não nos preocupávamos. Era tão arrumado e inteligente, tão contido e sossegado, que eu achava que ele não precisava de mim tanto quanto todos os outros precisavam. Claro que ele tinha um lado sombrio, mas nunca se meteu em nenhuma encrenca. Na época, eu vivia apagando uma porção de incêndios e, já que com ele não havia nenhuma fumaça, nenhuma chama, nenhum alarme, eu não ficava prestando atenção. Nada que não estivesse pegando fogo ocupava muito do meu tempo, uma coisa que ele deve ter compreendido desde bem pequeno. No geral, eu achava que Robert era um assunto resolvido. Que ele ia tomar banho e escovar os dentes de manhã, se vestir e preparar sua própria tigela de cereais. Era de imaginar que eu me sentia agradecido por ter um filho tão autossuficiente. Na maior parte das vezes, acho que me sentia assim. Mas havia ocasiões em que ele me deixava louco. Lembro que certa manhã eu estava instalando as meninas em suas cadeirinhas, no carro, enquanto Kay, no banco da frente, chorava por causa da enxaqueca provocada pela quimioterapia. As meninas estavam agitadas, reclamavam e não deixavam que eu fechasse as fivelas do cinto de suas cadeirinhas. Estávamos atrasados para a escola, para a consulta do médico de Kay, e naquela altura meu irmão ameaçava vender sua metade da empresa se eu não entrasse no jogo, como ele dizia. À margem de tudo isso, estava Robert, de pernas cruzadas na escadinha da porta da frente da casa, rabiscando em seu caderno de redação preto e branco, escrevendo uma daquelas histórias desvairadas, com tartarugas que sopravam fogo e feiticeiras cobertas de pó, totalmente alheio ao que acontecia. Lembro-me de olhar para Robert e me sentir furioso por ele estar isento de responsabilidade, intocado pela luta. Claro, é isso que se espera que a gente deseje para nossos filhos, mas naquele momento parecia injusto. O que eu queria era bater nele, sacudi-lo com violência, chacoalhar sua calma e infligir a ele uma parte do que eu estava experimentando. Parece loucura, mas uma parte de mim sentia que, se eu me aproximasse dele naquele momento, poderia matá-lo. Isso mostra como estava zangado com ele. Eu não conseguia suportar o fato de que nada parecia deixar alguma marca em Robert, e eu não poderia estar mais enganado.

Mandamos Robert para o colégio interno quando tinha quinze anos, que foi a época em que o câncer de Kay se espalhou para os nódulos linfáticos. Agora, a doença estava no quarto estágio e entramos em pânico. As meninas tinham oito anos na época, e raciocinamos que, se Robert pudesse se concentrar nos estudos no ensino médio longe do caos, seria melhor para ele. Tinha poucos amigos e Tim havia partido para Harkness um ano antes. Robert queria ir também para lá, mas na época não levamos aquela ideia a sério. Era caro e ficava nas montanhas de Connecticut, aonde nenhum de nós jamais tinha ido. No entanto, um ano depois, nos sentimos sitiados. Dissemos para nós mesmos que era o que Robert desejava e, de certa forma, na ocasião, acho que confiávamos mais nos instintos dele que nos nossos a respeito de como ele devia ser educado, por isso concordamos. O que não sabíamos era que, naquela altura, em Harkness, Tim havia se tornado o pequeno tsar das drogas. Não culpo Tim, se bem que, por muito tempo, eu tenha pensado assim. De lá para cá, aprendi que viciados nascem desse jeito, não se tornam viciados, portanto, se não fosse a cocaína e a heroína em Harkness, poderia ter sido a bebida ou as pílulas em Atlanta. Quem sabe? O que sei é que, quando recebi o telefonema do diretor de Harkness me avisando que Robert tinha tido uma overdose de drogas e se encontrava em coma no hospital municipal, achei que era piada. Nunca tinha visto meu filho fumar um cigarro nem provar um gole de cerveja. Era um aluno que tirava nota máxima em todas as matérias e tocava trompete na banda marcial da escola. Era caseiro e muito reservado. O diretor me descreveu as vinte e quatro horas anteriores — Tim, Robert e outro aluno saíram para fazer uma longa trilha e não voltaram, formou-se uma equipe de busca, uma mulher telefonou para a polícia, porque tinha ouvido vozes no quintal; quando chegaram, encontraram Robert inconsciente, enquanto os outros dois garotos fugiram correndo por uma plantação, nos fundos. *O senhor tem de vir imediatamente*, disse o diretor, e foi o que fiz.

Quando cheguei a Hartford, me registrei no motel em Wells e visitei Robert no hospital, vi claramente que a situação podia mudar a qualquer momento. Minha irmã e minha mãe foram morar com Kay e com as meninas e concordamos que eu devia ficar ali a postos, até que, se a sorte ajudasse, Robert pudesse se mudar — voltar para casa ou ir para um centro de reabilitação, em algum lugar. Eu estava desorientado. Lembro-me daquele motelzinho estranho — com nome de garota, o Betsy —, com quadros feios nas paredes e sabonete de laranja Dial no chuveiro e na pia. Não eram aqueles sabonetezinhos típicos de motel, mas daqueles grandes, consistentes, que a gente compra nos mercados. Naquele lugar, tinha alguma coisa de provisório; com certeza, não pertencia a uma cadeia de motéis. Era limpo e sossegado e passei as duas primeiras semanas voltando do hospital à noite e me perguntando como é que eu tinha ido parar naquele quarto, com flores pintadas na cabeceira da cama e meu filho em coma, na outra extremidade daquela cidadezinha de brancos de Connecticut, que parecia saída dos desenhos de Norman Rockwell. Só quando Robert saiu do coma e acabou transferido da UTI para a unidade de reabilitação, foi que vi aquele quarto de motel à luz do dia. E foi quando conheci Lydia.

# Dale

Tem sempre um que vai embora. Foi isso que Mimi falou assim que Will nos reuniu, no seu penúltimo ano do ensino médio, para dizer que queria fazer faculdade na Costa Leste. Sua irmã foi para Reed, que parecia ficar do outro lado do mundo, e seu irmão foi para a Universidade de Puget Sound, em Tacoma. Os dois estavam a uma distância que dava para ser percorrida de automóvel, saindo de Moclips, onde morávamos e criamos nossa família: um no norte, outro no sul. Era egoísmo nosso, mas torcíamos que Will fizesse o mesmo. Não me entendam mal; queríamos que fossem para onde desejassem ir, mas nossos filhos tinham sido nossa vida nas últimas duas décadas — éramos um time — e a mudança é difícil. Mimi e eu somos filhos únicos e temos pais que morreram jovens, portanto nossos filhos são tudo. Quem sabe tivemos sorte, e mais nada? Nossos filhos sempre foram ótimos, mesmo na adolescência, uma companhia melhor do que a maioria dos adultos que conhecemos. Talvez pareça pouco sadio, ou codependente, mas é a verdade. A irmã de Will, Pru, se interessou por jardinagem quando tinha nove anos e inspirou todos nós a semear legumes e ervas no inverno para plantar na primavera. Ela organizou um sistema de adubação que Mimi e eu continuamos a seguir à risca, até hoje. Quando Pru partiu para a faculdade, todos estávamos perfeitamente aptos para trabalhar em qualquer fazenda de produção orgânica, em qualquer lugar. E Mike, o irmão mais velho de Will, passou a nos apresentar todo tipo de novidade que aparecia na música, desde que estava na terceira série. Por intermédio de Mike, passamos a ouvir compositores e cantores indie como Ray LaMontagne e Cat Power. Por intermédio de Mike, ouvimos primeiro Moby e depois Phoenix e Daft Punk. Ele também nos apresentou à música da nossa própria geração, que na maior parte não tínhamos acompanhado: Sex Pistols, Kate Bush, Joy Division, Blondie. Ultimamente, ele se fixou nas bandas de metal dos anos 80, como AC/DC e Def Leppard, e foi aí que nossos caminhos se separaram. Quanto a Will, ele era mais ligado do que qualquer um de nós no que acontecia em termos políticos e sociais, no mundo. Desde bem jovem, estava comprometido com o meio ambiente, com os sem-teto. Mais tarde, ficou obcecado com Rachel Corrie, a ativista de Olympia que foi morta por uma escavadeira mecânica das forças armadas de Israel quando protestava contra a demolição de casas de palestinos. Ele acompanhou todos os passos daquele caso: depois que ela foi morta, a censura em Nova York da peça baseada nos escritos dela, as barreiras criadas no Congresso dos Estados Unidos a fim de barrar uma investigação sobre sua morte. Will tinha catorze anos e escrevia cartas para nossos deputados, cartas de apoio à família de Corrie, e fazia questão de que fôssemos aos comícios e às cerimônias em homenagem a ela. Era um garoto engajado. Ia a passeatas, protestava sentado para bloquear as ruas, cantava, organizava. E nós o apoiávamos. Nem Mimi nem eu tínhamos sido tão ligados em política, mas com Will, ele simplesmente dava vida a essas questões, e seu sentimento de premência, de injustiça e de responsabilidade era contagiante. O irmão e a irmã o provocavam um pouco, mas antes de partirem para cursar a faculdade, e mesmo depois, compareciam a quase todas as atividades para as quais ele os chamava. Chegaram a ser presos com Will, quando se acorrentaram ao abrigo de um sem-teto em Olympia, que estava condenado a ser demolido por causa do corte de despesas e de um projeto de melhorias que seriam feitas no terreno onde ficava. Mimi e eu recebemos o telefonema de Mike e largamos tudo na mesma hora para ir soltá-los. Não ficamos zangados com ele, nem desapontados. Na verdade, foi o contrário. Os três se acorrentaram uns aos outros em apoio a algo em que acreditavam, e isso para nós era prova de que, como pais, tínhamos feito algo certo.

Portanto, quando Will nos disse que queria ir para o Amherst College, ficamos sem fala. Enfiada no fundo das montanhas em Massachusetts, era a mesma coisa que a escola ficasse em Marte, no que se referia a nós. No entanto, Will nos transmitiu sua intenção de maneira muito mansa, e os três choramos e resolvemos chamar a irmã e o irmão para dar a notícia. Foi o último ano em que moramos na casa em Woclips. Quando Will partiu para cursar a faculdade, vendemos a casa para um casal que lecionava na faculdade em Aberdeen. Eram recém-casados, planejavam constituir uma família, e não poderíamos ter encontrado compradores melhores. Como professores, não de faculdade, mas sim de escola fundamental, achamos que aquilo era um bom sinal. Tínhamos comprado a casa de uma viúva sem filhos, mas, pelo que apuramos ao longo dos anos, ela e o marido eram muito unidos, boa gente. Ainda a víamos toda hora, andando pela estrada, entre Moonstone, onde trabalhava, e a casa da irmã, mas Cissy nunca foi de ficar jogando conversa fora. Quando a conhecemos, achamos que ela encarava tudo de um jeito bruto. Pensamos que talvez ela tivesse algum rancor pela família jovem que tinha desembarcado em sua casa e tomado conta de tudo, mas quando conhecemos Cissy melhor, passamos a compreender que era mesmo o jeito dela. Não tinha muito a dizer. Depois que mudamos para lá, Cissy ainda aparecia de vez em quando, ligava o disjuntor, quando a luz pifava, mexia no vaso sanitário até ficar no lugar, quando a descarga não queria funcionar, chegava até a trazer de sua casa uma montanha de lenha e gravetos para acender a lareira e deixava na nossa varanda nos invernos. A única vez que tentei pagar para ela por limpar as calhas, ela me deu as costas e foi embora.

Quando era criança, Will era fascinado por Cissy. É compreensível: Cissy tinha mais de um metro e oitenta de altura e usava uma longa trança preta, com fios prateados, do tamanho de uma cobra sucuri. Para um sujeito miúdo, ela era um verdadeiro gigante. No verão em que mudamos para lá, Will se ofereceu para ajudá-la a limpar os quartos do Moonstone, e ela respondeu que tudo bem. Will tinha pedido nossa permissão e nós simplesmente achávamos que ela não ia aceitar, mas quando Will voltou, algumas horas depois, não podíamos mais voltar atrás.

Cissy pagava um dólar por dia para ele. Will tinha dez anos, esfregava vasos sanitários, arrumava camas e carregava lixo. Claro que logo começou a nos dar aulas de faxina. Entre outras coisas, Will nos revelou o segredo para estender e prender o lençol na cama como fazem no hospital, e mostrou como dobrar e pendurar toalhas corretamente. Perguntamos o que ele e Cissy conversavam. *Ah, nada*, respondeu. *Cissy não fala*. É engraçado que uma criança irrequieta como Will nunca ficasse impaciente com o silêncio de Cissy. Will era precoce, um garoto falante, cheio de perguntas e de opiniões. Para ser franco, é impossível imaginar os dois nos quartos do Moonstone — ele esvaziando as lixeiras de papel e colocando rolos novos de papel higiênico no lugar e Cissy esfregando as banheiras e passando o aspirador de pó. Mas os dois formavam um belo par e aquilo durou muito tempo, até o verão, quando Will fez treze anos e começou a se interessar pelos Quinault, a tribo de americanos nativos que possuía uma grande e dinâmica reserva, no fim da praia. Depois daquele verão, ele passava a maior parte do tempo envolvido, do jeito que podia, com assuntos da reserva. Fazia tudo que pediam. Lixava e pintava as paredes das oficinas, dos abrigos de canoas, das casas. Um cara de lá chamado Joe Chenois, um ancião, ficou maravilhado com Will e disse que ia passar uma hora lhe ensinando a entalhar canoas, em troca de cada semana que ele trabalhasse na reserva. Joe levou Will a se interessar por direito. Nos anos 80, Joe tinha ajudado muito na luta para reivindicar milhares de hectares da terra dos Quinault. Não era advogado, mas era um ativista e um mobilizador, um líder, e se tornou especialista em legislação relativa aos americanos nativos e em Constituição, no que dizia respeito à soberania tribal. Joe era o herói de Will e, quando ele morreu de câncer de pulmão, no outono em que Will estava no primeiro ano da faculdade, Will voltou de avião para Seattle e viajou de carro pelo litoral para a cerimônia fúnebre. Naquela altura, tínhamos vendido a casa e foi a primeira vez que Will ficou no Moonstone como hóspede. A praia de Moonstone, Moclips e a história do local foi sempre mais importante para Will do que para nós. Will lia livros sobre os massacres e o roubo de terras do governo e nos contava as histórias com lágrimas nos olhos. Na reserva, ele era chamado de Pequeno Cedro, nome que Joe lhe dera no ano em que Will entalhou sua primeira, e única, canoa.

    Lolly Reid não era o tipo de garota que esperávamos que fosse atrair Will. Sempre achamos que ele iria se enturmar com o tipo de garotas com que saía no tempo do ensino médio. Garotas politizadas, amantes da natureza. Garotas sérias, muitas vezes bonitas, mas rudes. Por mais desorganizada e excêntrica que Lolly pudesse ser, ela era refinada. Linda em vez de bonita. Lolly Reid tinha cabelo louro e comprido e era elegante à maneira nova-iorquina. Lia livros, mas não sobre os massacres de índios ou o fraturamento hidráulico em Catskills. Lia romances, do tipo moderno, sobre famílias, segredos e amor. Falava francês e italiano e conhecia um bocado de coisa sobre arte moderna, graças à mãe, que era gerente de galerias em Nova York e em Londres. Depois da faculdade, Lolly foi trabalhar no departamento fotográfico de uma revista de moda em Nova York. Era sofisticada culturalmente, mas não politicamente, e era o tipo exato de garota que, assim achávamos, seria invisível para Will. Os dois se conheceram num programa de estudos no exterior, no México, patrocinado pelo Vassar College, no semestre de primavera em seu penúltimo ano na faculdade. Will foi para o México porque era fascinado pela tutela governamental da cultura tribal maia e também queria aprimorar seu espanhol para poder ser defensor público bilíngue. Lolly, por seu lado, resolveu no último minuto acompanhar o ex-namorado no programa, mas acabou rompendo com ele alguns dias depois de chegarem, e depois de conhecer nosso filho. Ela explicou isso para nós na noite em que nos conhecemos, num restaurantezinho que ela e Will gostavam de frequentar, perto do campus, na cidade do México.

    Quem sabe o que leva as pessoas a se unir? Lolly nos parecia uma pessoa ainda sem forma. Jovem. Era animada e falante, cheia de histórias para contar, mas tinha poucas perguntas. Ela nos atraía, mas depois de sermos atraídos, vinha a sensação de que ela podia desaparecer sem o menor aviso. Tinha um jeito de contar duas histórias ao mesmo tempo, olhando para trás da gente enquanto falava. Dava a sensação de uma pessoa que estava com tudo sob controle, uma acrobata que mantinha várias bolas no ar ao mesmo tempo, e desse jeito sempre sabia que teria pelo menos uma bola na mão, no fim do dia. Era inteligente, mas não cuidadosa. Reconhecemos imediatamente que seria uma pessoa capaz de magoar nosso filho. Em torno de Lolly, ele se mostrava paternal, paciente, hipnotizado. Observávamos Will varrer migalhas de *tortilla* que haviam caído na mesa e no chão à sua volta, na frente dela, durante a refeição. Fez isso não apenas uma vez, mas três vezes, e enquanto o fazia, ela continuava a falar, dava vida ao que dizia com olhares expressivos, tons apaixonados e gestos loucos da mão, enquanto, distraidamente, espalhava migalhas ao morder a comida, entre as palavras. Cinco meses depois desse jantar, ele telefonou de Moonstone, em Moclips, para nos dizer que ia casar com Lolly.

Lolly era a nova Cissy, o novo Joe Chenois, a nova causa, o novo Amherst. Ela estava em algum lugar onde Mimi, Pru, Mike e eu não havíamos estado e aonde não podíamos ir. Will sempre teve esse fraco por desbravadores, mesmo quando eles se encontram em nosso quintal. Mas casar com Lolly dava uma sensação diferente, de algo ao mesmo tempo arriscado e conclusivo.

Ambos ainda precisavam cursar o último ano da faculdade e tenho vergonha de admitir que Mimi e eu esperávamos que a distância entre Amherst e Vassar bastaria para que seu noivado parecesse uma loucura de verão. É verdade que nunca chegamos a conhecê-la direito. Pru passou uma semana com Lolly, antes do casamento. Ela perguntou para Will se não teria problema. Pru só tinha visto Lolly duas vezes, antes, e disse que gostaria de ficar com eles, ajudar no que fosse possível. Pru nos telefonou todos os dias, antes de pegarmos o avião para o Leste, a fim de assistir ao casamento. Ela dizia que estava começando a entender a ligação entre Will e Lolly. Por duas vezes, incluímos Mike nesses telefonemas. Era como se tivéssemos mandando uma exploradora para o novo mundo e sorvêssemos cada palavra que ela usava para descrever o que via e ouvia e como se sentia. Pru descreveu a velha casa rural de pedra onde June e seu namorado moravam, os campos incríveis atrás da casa e os hectares de trilhas nas terras da Igreja da Unificação, que fazia divisa com a propriedade deles. Pur descrevia todas as pessoas: o namorado de June, Luke, que era muito mais jovem e lindo, segundo ela. A mãe dele, Lydia, que era difícil de conhecer, um pouco arredia, mas não de um jeito arrogante, mais parecida com um bicho ferido. E June, que ela disse que parecia Will: forte, capaz, organizada, mas, como Will, reverente, perplexa e um pouco perdida em torno de Lolly.

Lembro-me do último telefonema de Pru, naquela casa. Foi uma noite antes de pegarmos o avião para o Leste. Ela ia se unir a nós no motel Betsy, quando chegássemos. O pai de Lolly ia chegar de manhã, ela nos contou, e houve certa confusão para escolher o lugar onde ele ia ficar. Lolly insistia para ele dormir na casa, junto com eles, e June, naquela tarde, pediu-lhe que pensasse melhor no assunto. Isso acarretou uma grande briga e Lolly, é claro, venceu. Mas, antes de terminar, a coisa esquentou e Pru saiu para dar uma volta, aliviar a cabeça e se afastar um pouco de toda aquela tensão. Contou que mais tarde, no caminho de volta para casa, encontrou June sentada num tronco de árvore na mata, abraçando a si mesma e balançando o corpo devagar. Pru não queria perturbá-la, mas era tarde demais para ir embora. Quando June a viu, chamou-a com um aceno e enxugou as lágrimas do rosto. Pru perguntou se ela estava bem e June respondeu com uma pergunta que pareceu a Pru ser antes um comentário acerca das disputas com Lolly: *Você já teve uma família?* Pru disse que ela parecia totalmente arrasada, à beira da loucura. Perguntou se June não gostaria de caminhar com ela de volta para a casa, mas June recusou educadamente, dizendo que precisava ficar um pouco mais de tempo sozinha.

Naquela noite, Pru nos disse que nunca se sentiu tão agradecida. Que sua resposta àquela pergunta de June tinha sido sim, mas não como um gesto de comiseração, nem como uma explicação que fosse apenas fruto do cansaço, como pareceu para June, mas sim como o reconhecimento de uma grande sorte e também uma oração de agradecimento. Com Mike no telefone, de Tacoma, e Mimi e eu juntinhos em cima do iPhone dela, ligado no viva-voz, na cozinha, Pru sussurrou para nós: *Obrigada*.

# Kelly

É um alívio encontrar finalmente o lugar aonde a gente queria ir. Sempre pensei que fosse Seattle. Nasci lá. Cresci lá. Conheci Rebecca e morei com ela em Seattle durante mais de quinze anos. Nunca questionei o lugar onde eu deveria estar, mas de vez em quando ficava curiosa. Ou talvez eu fosse apenas irrequieta, ansiosa por coisas novas. Lembro que li sobre Provincetown, Massachusetts, mais ou menos um ano antes de conhecer Rebecca. Nunca fui lá, mas pareceu um lugar bom para morar. Cheguei a dar uns telefonemas sobre empregos em hotéis, mas a não ser por alguns negócios de verão, parecia não haver por lá nada parecido com um hotel que precisasse de um gerente. O Holliday Inn tinha sido bom para mim, portanto era inimaginável deixar Seattle em troca de um emprego que não fosse com eles. O mais próximo que eles tinham, em Cape, ficava a quase uma hora de Provincetown, mais perto de Boston, um lugar que não me interessava nem um pouco. Aquilo sempre me pareceu uma Seattle da Costa Leste, só que com mais faculdades e universidades. Tem um monte de irlandeses nos dois lugares, que é o que sou e é de lá que venho.

Hoje, aqui tem pouca gente de onde somos. Moclips tem menos de duzentos habitantes que residem aqui o ano inteiro, e a família de Cissy, de um jeito ou de outro, se relaciona com a maioria deles. Não que Cissy tenha nos contado alguma coisa sobre eles, ou sobre si mesma. Tudo o que sabemos sobre Cissy foi montado a partir do que ouvimos das irmãs, que logo se calaram, ou das pessoas de Aberdeen, que não são o que se pode chamar exatamente de fofoqueiras, muito menos quando se trata de alguém do seu grupo, e ainda mais para um casal de lésbicas da cidade, que serão sempre — por mais tempo que residam aqui — forasteiras. Cissy é um mistério ou não tem mistério nenhum. Toda ela é sombra ou luz. De todo modo, ela nos dá a entender o que deseja saber e o resto não é da nossa conta. Cissy segue seu caminho e nós, o nosso, e coexistimos como empregadoras e empregada.

No entanto, de vez em quando ela surpreende a gente. Como aconteceu há alguns meses, quando uma equipe de filmagem de uma tevê a cabo instalou câmeras bem perto do Moonstone. Foi uma grande produção. Esticaram os cabos dos geradores no nosso estacionamento, que dava para a praia, e estacionaram um caminhão que servia comida na beira da estrada, a fim de alimentar a equipe técnica e o elenco. Durante dias, filmaram mergulhadores debaixo da água, eles entravam e saíam das ondas do mar, e fizeram tomadas de atrizes com roupas de sereia, abanando a cauda de borracha nas ondas. Havia cinco garotas, todas jovens. No fim da adolescência, com vinte anos ou pouco mais, elas ficavam tremendo, enroladas em roupões, nos intervalos entre as filmagens, fumando um cigarro atrás do outro. Certa noite, houve uma tremenda bagunça no quarto 5. Os caras da equipe e as atrizes estavam fazendo a maior farra e recebemos telefonemas não só dos hóspedes num dos dois quartos que o pessoal da tevê não tinha ocupado, como também dos

Sweeney, o casal aposentado que mora ao lado e que nunca tinha reclamado de nada. Eram dez e um pouquinho da noite quando eles ligaram. Rebecca e eu estávamos vendo um episódio de um seriado inglês, no DVD; apertei o botão *pause*, calcei as botas, vesti o casaco, peguei a lanterna e parti na direção de onde vinha o barulho. Deu para sentir o cheiro de maconha, antes de chegar à porta, e para ouvir o reggae, entremeado por risadas escandalosas. Quando cheguei perto, pude ver que a porta do quarto 6 estava aberta. Pensei que Jane ia aparecer, mas em vez disso foi Cissy, com sua jaqueta de lona Carhartt abotoada até em cima e sua trança comprida e prateada enfiada por dentro da jaqueta. Alguém que não a conhecesse podia pensar que estava vendo um homem alto e sério sair pela porta de um dos quartos do motel e andar ligeiro na direção da porta de outro quarto. Cissy nem se deu ao trabalho de bater, em vez disso pegou sua chave mestra e abriu a porta sem hesitar. Pude ouvir como ela gritou FORA!, só uma vez. Na mesma hora a música parou. Recuei para o lado a fim de observar. Não sei por quê, mas eu não queria que Cissy me visse. Uma a uma, as garotas começaram a sair, aos tropeços, umas sozinhas, outras acompanhadas pelos caras da equipe. No fim, todos voltaram para seus quartos. Quando Cissy ficou satisfeita, desceu pelo caminho rumo ao escritório e virou à esquerda, na direção da Pacific Avenue, rumo à casa da irmã. Será que Jane chamou Cissy? Ou Cissy já estava no quarto de Jane quando a confusão começou? Fiquei nas sombras do prédio do motel, me perguntando se devia falar com Jane ou chamar Cissy. Nem uma coisa nem outra me pareceu adequada, por isso caminhei para a praia e fiquei um tempinho olhando as ondas quebrarem. Naquela noite a lua não estava visível, por isso a única luz vinha do motel, das poucas casas ao longo da praia e de um ponto mais abaixo, onde a rodovia 109 passa perto da areia e dá para ver a cintilação pálida e inconstante dos faróis dos carros. Tentei imaginar como seria duzentos anos antes, quando só a tribo Quinault andava pela praia. Pam, a irmã de Cissy, nos contou que era para esta terra que a tribo trazia suas adolescentes, para que ficassem a salvo depois que alcançavam a puberdade, e antes de casar. Quem as protegia? — eu me perguntava. Com certeza não seriam homens, pois era exatamente deles que as meninas estavam sendo protegidas. Eu também queria saber quantas delas nunca chegavam a casar, ou por falta de sorte ou por opção. Será que tinham opção? Eu duvidava. Será que eram essas mulheres que ficavam de guarda e ajudavam a proteger as meninas? Ou eram mandadas de volta para a tribo, numa idade em que já não era possível casar, a fim de viver o resto de seus anos como solteironas?

A lenda local dizia que, certa noite, enquanto as meninas dormiam, todas foram engolidas pelo mar. Rebecca e eu ouvimos pelo menos uma dúzia de variantes da história — uma delas envolve uma bruxa do mar que lançou um feitiço; outra, uma estrela cadente que explodiu no oceano e provocou uma onda devastadora; e outra começa com um incêndio terrível que levou os animais a fugir das montanhas para o mar, arrastando as meninas junto em sua fuga. Porém, em todas as versões da história, as meninas adormecidas acabavam debaixo da água, onde de algum jeito se transformaram em sereias, protetoras encantadas, cuja magia guarda as virgens Quinault dos perigos. Sem dúvida, alguns vestígios dessa história devem ter chegado aos ouvidos dos produtores daquele programa idiota de tevê.

Andei na direção da água para enxergar a forma das ondas, na noite negra feito breu. O vento batia forte e levantei minha gola rulê por cima do rosto, quase até os olhos. Parei a alguns metros das ondas e imaginei as atrizes que fumavam um cigarro atrás do outro como se fossem sereias de verdade, deslumbrantes e atrevidas, com as escamas cintilantes. Quem não gostaria de ser protegido por tais criaturas? Pensei em Penny e Rebecca, que cuidavam uma da outra quando crianças, e depois, também, quando adultas. Durante a maior parte da vida, as duas só tiveram uma à outra. Eu sempre tive irmãos mais velhos, primos e tios, e muito embora o fato de eu ser gay não fosse da predileção de ninguém (inclusive da minha, no início), depois que assumi que era gay, na época em que cursava o ensino médio, qualquer um que fizesse gozação comigo, ou coisa pior, logo levaria o troco da minha família. Passado um tempo, como não tinham opção, os colegas do colégio me aceitaram. Eu não era a rainha dos bailes da escola nem nada disso, mas fui capitã do time de hóquei sobre a grama, vice-presidente da minha turma do último ano e organizava um sopão voluntário para os pobres nos fins de semana, no último e no penúltimo ano do curso. O que estou dizendo é que eu não estava sozinha. Eu me sentia diferente, insegura sobre como traçar o rumo de minha vida no terreno romântico, mas me sentia a salvo. Minha família me dava isso, e quanto mais envelheço, mais enxergo a sorte que tive. Todos os meus irmãos, exceto um, se mudaram para o Leste, meus pais já não existem mais e tenho um tio num asilo em Olympia. Agora, Rebecca é a minha família. Ela tem a mim e eu tenho a ela, e este é o nosso lugar.

Penny não tinha ninguém na noite em que morreu. Nenhuma sereia, nenhuma Rebecca. Antes daquela noite na praia, nunca parei para pensar em como Penny deve ter se sentido. Como se viu completamente sozinha, no meio daquele apuro. Virei-me para Moonstone e comecei a caminhar para casa. Agora, as únicas luzes acesas eram as do quarto 6. Jane. Provavelmente, a pessoa mais sozinha que já vi. E olhe que já vi uma porção de viajantes solitários no Holiday Inn, em Seattle, e também aqui, mas ninguém como Jane, que sempre parecia estar metade no mundo e metade fora dele. Nas poucas vezes em que de fato a vi e falei com ela, Jane estava quase sem vida. No entanto, ela tem Cissy. Exatamente como, não sabemos, mas é claro que Jane tem nela uma aliada formidável. Eu me pergunto se Jane encara a coisa desse modo, se está consciente de como essa estranha a tomou sob sua proteção.

Algumas semanas depois de Jane chegar ao hotel, Rebecca e eu notamos que Cissy entrava e saía do quarto 6, de modo um pouco mais frequente do que o usual. Então passamos a vê-la carregando uma garrafa térmica gigante para lá e para cá, do tipo das garrafas térmicas que a gente vê num camping, com uma tampa grande e prateada de enroscar, que serve também de caneca ou tigela de sopa, dependendo do conteúdo. Nunca tínhamos visto Cissy com aquilo antes, mas pouco depois que Jane se registrou no hotel, passamos a ver aquela garrafa térmica nas mãos de Cissy na maior parte dos dias. Rebecca e eu acabamos entendendo que ela estava deixando a garrafa térmica no quarto 6 de manhã, quando começava a faxina dos quartos, e depois, no fim do dia, pegava de volta. No início, Jane deixava a garrafa do lado de fora, junto à porta, na soleira de cimento, mas depois de um tempo notamos que Cissy estava entrando para pegar a garrafa — em geral, ficava só um ou dois minutos, mas às vezes demorava mais tempo lá dentro.

Essa história em torno da garrafa térmica já está rolando faz mais de sete meses. O que essas duas podem ter para conversar é uma coisa que não consigo imaginar, e devo admitir que no início me irritou o fato de ficar excluída de algum vínculo que elas tivessem formado, mas agora, quando vejo Cissy indo para o quarto 6 com aquela garrafa térmica gigante e verde, apenas penso assim: graças a Deus que essa mulher triste veio parar no nosso motel e não em algum lugar horrível. Graças a Deus que ela tem alguém que cuide dela. Graças a Deus que nós todas temos alguém.

# Lydia

Ele explicou tudo isso antes e ainda não faz nenhum sentido. Naquela voz que ele tem, que sobe, desce e se arrasta feito uma canção. *Você é uma senhora de sorte, Lydia Morey. Sorte mesmo. Essa loteria que você ganhou é de mais de três milhões de dólares e ocorre só uma vez a cada dois anos.* Às vezes, ela não ouve nenhuma palavra do que ele está falando, só ouve sua voz. Ela pegou no sono com o telefone aninhado entre a orelha e o ombro, a voz dele que nem uma cantiga de ninar, contando histórias sobre milhões de dólares. O prêmio, diz ele, nunca antes foi dado a um americano e, tecnicamente, não poderia ser dado, mas Winton está se oferecendo para ajudá-la, está se arriscando a fim de lhe mostrar o caminho certo para ela romper a burocracia, para poder receber seu dinheiro. *Isso*, diz ele, com um mar de afeição na voz, *é o que eu vou fazer por você.*

Às vezes, ela desliga o telefone, tira o fone do gancho e apaga a luz. Mas ele sempre liga no dia seguinte. Em geral, entre nove e dez horas da manhã, e de novo após as seis horas, depois que ela pagou suas contas no correio, fez umas compras no mercado — papel higiênico, latas de sopa Progresso, *muffins* ingleses — e tomou seu café na cafeteria. Muitas vezes, na hora em que está girando a chave na porta do apartamento, ela ouve o telefone tocar. Nas poucas vezes em que isso não aconteceu, ela ficou decepcionada. É uma fraude e ela sabe disso. Ele se mostra sedutor e pessoal, afetuoso e intimidador, e ela entende que está sendo seduzida, manipulada, dominada. Sabe de tudo isso, mesmo assim atende o telefone. Às vezes, como uma adolescente que pede para a mãe atender ao telefone e dizer ao menino por quem está apaixonada que ela não está em casa, Lydia deixa a campainha tocar. Mas no dia seguinte ela atende, e sabe que vai fazer isso. E Winton também sabe, porque sempre liga de novo. *Lydia Morey, senti falta de você ontem. Na certa estava fora de casa, se acabando de tanto dançar ou partindo o coração de algum pobre rapaz por aí.* Depois de um mês de telefonemas com a mesma história de prêmio em dinheiro, burocracia e risco, Winton começa a aplicar um pouco de pressão, estabelece um prazo para o negócio. Os três milhões de dólares irão para outra pessoa, se ela não pagar as taxas da premiação internacional. A primeira taxa é de setecentos e cinquenta dólares, migalhas em comparação com o que ela vai receber, e é uma soma que o comitê do prêmio vai reembolsar, depois. Eles gostariam de pagar diretamente a ela, mas não é permitido. Primeiro, ela tem de pagar e só depois, sem mais demora, o comitê enviará para ela a soma do prêmio. Pagar aquela taxa, diz Winton, sem música na voz, é indispensável para prosseguir.

 Ela paga. Vai de carro até o Walmart em Torrington, põe setecentos e cinquenta dólares num cartão pré-pago, como Winton sugeriu, e envia para um apartamento em Astoria, Queens, onde mora um representante autorizado da loteria. Walmart, Queens, cartões pré-pagos, reembolsos — ela fica admirada que ele ache que ela acredita mesmo naquilo tudo. E, no entanto, ela ainda não está disposta a parar com aquilo. Ainda não está preparada para ir para casa toda noite sabendo que não vai haver nenhum telefonema. Além do mais, existe uma tênue e remota esperança de que, de algum modo, o cenário absurdo que Winton pintou seja verdadeiro. Ela chegou a se permitir a fantasia de que vai enviar dinheiro para Winton, depois que receber o prêmio, a fim de pagar seus estudos, a fim de ajudá-lo a sustentar a família. Mas tudo aquilo não passa de uma farsa e ela sabe que em breve vai expirar, ou que ela mesma vai pôr um fim naquilo tudo, mas não por enquanto. Então ela se permite pensar nos setecentos e cinquenta dólares como um teste. Um teste no qual sabe que ele não vai conseguir ser aprovado e, como não será aprovado, a farsa vai terminar e tudo será como antes. De propósito, ela não deixa esse raciocínio ir até o fim, se protege e evita ativamente reconhecer que se trata de algo destrutivo. Ela vai levar aquela história até o fim e não se pergunta por quê.

Então, Lydia coloca o cartão pré-pago num envelope endereçado a Theodore Bennett, em Astoria, Queens, o funcionário do prêmio mencionado por Winton. Ele também disse que não deveria haver nenhum bilhete dentro do envelope nem o endereço do remetente no verso. E embora a ideia dos setecentos e cinquenta dólares voando sem nenhum endereço do remetente seja intolerável, Lydia mesmo assim obedece e joga o envelope impossível de rastrear dentro da caixa de correio que fica na frente da sede da prefeitura.

Nos dias seguintes, os telefonemas de Winton continuam e ela retorna à rotina estabelecida entre ambos. Os telefonemas de manhã, ela costuma evitar; os telefonemas à tardinha, ela atende. Escuta Winton falar sobre sua última namorada, que o enganou e o deixou arrasado, sobre o filho que ela nunca permite que ele veja, sobre a mãe doente, sobre a irmã na prisão. O mundo dele ganha vida, iluminado, durante aqueles telefonemas. É um namorado rejeitado, um filho dedicado e zeloso. Tem vinte e oito anos, diz ele. Estuda à noite para ter um diploma de contabilidade, para poder largar o emprego na loteria, que remunera muito mal e é só de meio expediente. Já teria largado aquele trabalho há meses, mas antes de ir embora queria garantir que o prêmio anual fosse entregue para Lydia. Queria fazer aquilo uma última vez, porque gostaria de ver uma boa mulher como Lydia receber o dinheiro. E não algum babaca europeu, do tipo que em geral ganha o prêmio.

Com o tempo, a irmã na prisão vira prima, tia, sobrinha. As aulas à noite são de engenharia, hotelaria, artes gráficas. O nome da namorada é Carla, Nancy, Tezz, Gloria. Ele tem vinte e oito, vinte e quatro, trinta anos. As incoerências espantam Lydia, no início, e depois divertem. Mais uma prova de que ela tem razão, de que aquilo tudo é uma falcatrua. Mas então Winton começa a perguntar de novo sobre a vida dela. Perguntas que já fez no início, mas ela se esquivou. É casada, em que trabalha, tem filhos? E agora, como é preciso que comece alguma outra coisa naqueles telefonemas para que os dois possam continuar, ela fala a respeito de Earl Morey, seu ex-marido. O rapaz ruivo que era muito divertido e depois ficou sem graça nenhuma. Que a chamava de Lanchinho, beliscava sua perna e sua bunda e deixava pequenos hematomas roxos e amarelos. Que bateu com uma lista telefônica na sua cabeça, certa noite, e com tanta força que ela passou o dia seguinte inteiro com dificuldade para se equilibrar. Que ficava quase toda noite no Tap com os irmãos, primos e tios e chegava em casa bêbado e, se ela tivesse sorte, dormia no sofá do apartamentozinho onde moravam. Lydia tinha dezenove anos, estava casada e, depois de um ano, já odiava o marido e sua família inteira, e não podia fazer nada. Quando finalmente Lydia confessou para a mãe o que estava acontecendo, ela disse para a filha ficar de bico calado e levantar as mãos para o céu, por ter encontrado um homem de boa família. Ela conta tudo isso para Winton e, enquanto fala daquele tempo, é como se estivesse lendo uma história de ninar para o filho, quando era pequeno, uma história sobre uma menina que tomou o caminho errado na floresta e se perdeu. Ela fala, fala, como Winton fazia no início, e ouve Winton respirando no outro lado da linha. Só raramente ele faz alguma pergunta ou algum comentário sobre algo que ela disse, e se faz isso, é só para dar sequência à conversa, mais nada. *Que idiota, que sujeito burro*, disse ele. *Um bêbado cretino*. Lydia não menciona outros homens. Aqueles que a assediavam até conseguir dormir com ela e depois paravam de procurá-la. Também não menciona Rex. Nem Luke, ela não fala nada sobre ele.

Dez dias depois de mandar a carta, chega um envelope acolchoado de papel pardo com carimbo de Newark, Nova Jersey, e dentro dele estão sete notas de cem dólares e uma de cinquenta. Nenhum bilhete, nenhum papel, nada. Só o dinheiro. Mais tarde, naquele mesmo dia, ela enfia o rolo de notas no bolso de sua jaqueta e anda até a cafeteria. É o início de fevereiro, mas as ornamentações natalinas continuam presas nas janelas. São do tipo que a gente compra no supermercado ou nas lojas de conveniência: Papai Noéis de cartolina, flocos de neve do tamanho de um prato e Rudolph, a Rena de Nariz Vermelho do Papai Noel. No teto e no alto das janelas estão presas mangueiras finas de lampadazinhas brancas e, no balcão, junto à caixa registradora, há uma miniatura de árvore de Natal artificial, enrolada em flores prateadas, com um anjo de plástico em cima. O dinheiro no bolso de Lydia lhe dá um vigor incomum, um ímpeto. Ela sabe que o dinheiro é seu, que ninguém lhe deu nada, que ela não ganhou nada, e mesmo assim as notas grandes e a forma como chegaram lhe dão um entusiasmo. Lydia toma seu café depressa e, quando vem a conta, paga com a nota de cinquenta. A garçonete, Amy, que agora parece já estar no oitavo mês de gravidez, pega a nota e traz o troco sem fazer nenhum comentário nem dar o menor sinal de interesse. Lydia deixa uma nota de cinco dólares de gorjeta, veste sua jaqueta de lã e vai para casa.

Antes de chegar à calçada, repara num rapaz de bicicleta, com moletom verde, que está dando voltas em torno do estacionamento e passa bem na frente dela. Lydia já o viu antes. Andando à toa pelo parque, fumando, com amigos. Ele trabalhava para Luke, mas uma porção de jovens em Wells, na faixa entre os treze e os vinte e dois anos de idade, trabalhou para Luke algum dia. Como era mesmo que June os chamava? Batedores de carteira e maconheiros? Lydia estremece ao lembrar a brincadeira de June e observa o rapaz rodar em círculos fechados, na sua bicicleta.

Será que não era o filho de Kathleen Riley?, pensa Lydia, e imagina as coisas que ele ouviu a mãe vomitar a respeito dela. Lydia recorda que o nome de Kathleen já não é mais Riley, que já faz muitos anos que ela se chama Moore. Kathleen casou com um empreiteiro de Kent, que construiu uma casa grande para ela, na Wildey Road, e que ela era enfermeira no hospital, antes de começar a ter filhos. É engraçado pensar em Kathleen Riley como enfermeira e como mãe, pensa Lydia. Sua lembrança mais viva de Kathleen é do tempo do colégio, quando ela acusou Lydia de estofar o sutiã. Lydia foi a primeira aluna na sétima série a ter, visivelmente, de usar sutiã, e assim, na época em que entrou no colégio, ela estava mais desenvolvida do que qualquer outra aluna da sua idade. No segundo dia do colégio, foi logo apelidada de Lactadia. Ninguém reivindicou a autoria do apelido, mas o nome pegou e logo os meninos mais velhos começaram a escrever bilhetes safados para ela e enfiar pela fresta de seu armário; chamavam Lydia para dar uma volta atrás das arquibancadas no colégio e assoviavam quando ela subia no ônibus.

*Estou com sede*, berravam no banco de trás, de manhã, e pelas janelas abertas, à tarde, quando ela descia do ônibus no fim do parque municipal. Na segunda semana de aula, muitas garotas das séries mais adiantadas, entre elas Kathleen Riley, já manifestavam uma forte antipatia por Lydia. Como era dois anos mais jovem que Kathleen, Lydia tinha sido invisível para ela nas séries do fundamental. Agora que ambas estavam no ensino médio, Kathleen não só a via como declarou guerra contra ela. *Lactadia não tem leite*, era seu lema predileto. Certa vez na escadaria, no intervalo das aulas, Kathleen e suas amigas encurralaram Lydia e mandaram que levantasse a blusa para provar que não estava estofando o sutiã com panos. Lydia ficou tão assustada que, em vez de fugir ou mandar Kathleen cair fora, ergueu a blusa lentamente acima da cabeça e expôs seus seios muito autênticos. Lydia recorda que ficou parada, com a blusa erguida, cobrindo o rosto, enquanto ouvia as meninas passarem pela escada e lembra que uma delas segurou seu seio direito e apertou com força. Não pôde ver de quem era a mão e estava atônita demais para reagir. Quando baixou a blusa, Kathleen e as outras tinham dado meia-volta e corriam escada abaixo. Lydia pôde ouvir a palavra *aberração* ecoar, enquanto elas desciam precipitadamente, em meio a gargalhadas. Houve outras humilhações e milhares de sussurros entreouvidos, mas a lembrança de ficar exposta e de ser maltratada diante dos olhos acusadores de Kathleen Riley e suas amigas foi a mais mortificante. Só quando as garotas mais velhas se formaram e Lydia começou a namorar Earl, que era popular e temido, e chegou com um campo de força de proteção, é que o terror que Lydia sentia todos os dias, ao se aproximar do colégio, começou a diminuir. Agora, em intervalos de algumas semanas, Lydia sempre vê Kathleen andando pelo corredor do supermercado ou parada na fila da farmácia e, quando isso acontece, Lydia sempre toma cuidado para ficar de cabeça baixa e evitar contato visual. Como se ainda estivessem no colégio, ela sai do caminho, torna-se invisível.

Lydia estreita os olhos, a fim de enxergar melhor o rapaz na bicicleta, embora ainda não possa ter certeza de que se trata do filho de Kathleen. Ela sempre conheceu a maior parte das pessoas da cidade, mas depois que Luke saiu do colégio e mais tarde, após Rex ter ido embora e ela ter parado de ir ao Tap e a outros lugares desse tipo, Lydia passou a viver no seu canto e tinha poucos contatos com outras pessoas que não aquelas para quem trabalhava. Lentamente, sem perceber, Lydia começou a ficar desatualizada com os casamentos, nascimentos, separações e novos moradores. Mas aquele garoto, ela havia notado. E, nos últimos tempos, com muita frequência. Recorda uma das máximas que sua mãe gostava de dizer, na mesa da cozinha, algo que ela costumava falar, sempre que corria alguma fofoca local sobre alguém que tinha caído em desgraça: *As maçãs de Deus são colhidas, as maçãs podres é que caem perto da árvore.* Para Lydia, a frase nunca fez nenhum sentido, mas começa a fazer sentido quando ela olha para a frente, onde o garoto que provavelmente é o filho de Kathleen Riley faz uma curva comprida, sai da Main Street, entra na Low Road e desaparece. Lydia anda mais depressa e, no bolso do casaco, esmaga o dinheiro no punho fechado.

# Silas

Ele se livra da bicicleta atrás de uma lixeira na Low Road e volta ligeiro pelo campo que fica atrás da escola primária até a Herrick Road. De início, ela está fora de vista, sete ou oito casas à frente, mas logo ele chega perto o bastante para ver seus braços oscilando ao lado do corpo, os bolsos do jeans sacudindo no balanço violento do seu traseiro. Tem sido assim há meses. Ela anda, ele vai atrás, cada vez mais perto, cada vez reduzindo um pouco mais a distância entre ambos. Ultimamente, ele tem passado perto o suficiente para ver a tênue silhueta da calcinha e das tiras do sutiã por trás do pano da roupa. Ele ouviu alguém dizer que a mãe do Luke tinha cinquenta e poucos anos, mas quando vê sua bunda balançar para um lado e para outro, e para cima e para baixo, dentro do jeans apertado, pensa: Cinquenta anos é o cacete. Ele já a viu de shorts, de moletom, de saia apertada, de saia folgada e muitas vezes, na verdade na maioria das vezes, de calça jeans, feito aquela. Lydia Morey anda um bocado. Em geral, para a cafeteria, para o banco e para o mercado, e caminha como se estivesse drogada ou numa espécie de transe.

Nunca vira para trás, mal olha para os lados. Ele tem certeza de que nunca reparou nele, nem uma vez, durante as semanas e os meses que passaram desde que começou a segui-la.

Ele acelera o passo para se aproximar. Que bunda! Está fascinado pela perfeição de metrônomo de seus movimentos — em cima-embaixo, embaixo-em cima — e pensa: Isso não é a bunda de uma mãe. E se retrai, envergonhado de sua mente sem freios, arrependido daquele pensamento em particular. Seu olhar recua a fim de abranger o resto de Lydia. Vê suas mãos, os dedos sem anéis, os pulsos, o tênis surrado, o cabelo castanho-escuro amontoado no alto da cabeça, com fios soltos que descem em volta dos ombros. Pela primeira vez, enxerga alguns fios grisalhos. Com isso, ela se torna outra vez uma pessoa completa, e não só alguns pedaços excitantes de corpo. Ela volta a ser o motivo por que ele estaciona a bicicleta a quatro casas do prédio do apartamento dela, na Upper Main Street, de manhã, antes do trabalho, no verão, e aos sábados, agora que as aulas na escola recomeçaram. Ela se torna, outra vez, a mãe de seu falecido patrão. Lydia Morey. A mulher de quem falam as pessoas da cidade. A mulher que ele ouviu ser definida como mãe do viciado cuja negligência causou a explosão de uma casa e a morte de três pessoas, além de sua própria morte; a piranha doida por sexo que chifrou Earl Morey com um trabalhador imigrante, um traficante de drogas, um caroneiro, um membro da tribo zulu; a mãe do explorador de mulheres mais velhas que passou a perna em June Reid, fazendo a coitada acreditar que estava apaixonado por ela, apesar da diferença de idade, até que ela pôs o moleque para correr e ele voltou, numa missão suicida; o monstro que deu à luz uma semente ruim, que acabou recebendo aquilo que merecia. Ele ouvia tudo aquilo e ficava sempre calado. A única coisa remotamente positiva que ouviu a respeito de Lydia Morey foi que tinha *os melhores peitos do condado de Litchfield*. O pai dele tinha feito o comentário naquele verão, enquanto esperavam diante de um sinal fechado, no centro, e ela atravessou a rua na frente deles, usando um top bege. *Nem as garotas novinhas do Tap podem competir com isso*, acrescentou. A mãe de Silas, que jamais gostou de Lydia Morey, não estava no carro. Quando seu nome era mencionado na casa deles, a mãe não perdia tempo para logo comentar que Lydia era uma pessoa que, para ela, *não presta para nada*. E também disse, depois de desligar o telefone após uma conversa com uma de suas amigas, alguns dias depois que tudo aconteceu: *Imagino que ninguém nunca contou para a Lydia que, quando a gente vai para a cama com cachorros, não pega só pulgas, pega também gravidez de outros cachorros. Como é que June Reid foi se meter com aquele vira-lata do filho da Lydia é uma coisa que nunca vou entender.* Mesmo ao ouvir aquilo, Silas ficou calado.

A única vez que ele chegou a falar de alguma coisa relacionada com o assunto foi quando a polícia e o chefe do corpo de bombeiros lhe perguntaram se tinha trabalhado na casa de June Reid na véspera do casamento. Eles bateram na porta de sua casa naquela noite, Silas sentou na cozinha e contou a mesma coisa que Ethan e Charlie tinham contado para eles. Contou que Luke mandou que eles fizessem o mesmo que costumavam fazer para os nova-iorquinos iguais a June Reid: catassem gravetos e galhos, arrancassem o matinho da calçada e podassem os canteiros de flores. A única diferença foi que Luke pagou todo mundo adiantado, naquele dia, e ainda dobrou a remuneração habitual de doze dólares por hora de trabalho. Quando entregou o dinheiro, pediu que fizessem o serviço com duas vezes mais capricho do que o normal. *Vocês são bons, mas hoje preciso que sejam ótimos.* Silas contou aos policiais que Luke tinha dito aquilo, mas eles não se mostraram interessados. Continuaram a perguntar sobre o estado de espírito de Luke, se parecia estar embriagado ou drogado ou perturbado quando eles o viram pela última vez. Silas respondeu que Luke parecia estar do mesmo jeito de sempre. Um pouco estressado, atarefado, mas estava bem. Contou que ele e os outros rapazes chegaram à casa de June por volta das duas horas naquele dia, e Luke trabalhou com eles durante as duas primeiras horas. Operava o cortador de grama John Deer, nos gramados da frente e dos fundos, enquanto Ethan, Charlie e Silas faziam todo o resto. Por volta das quatro horas, Luke disse que tinha que resolver uns assuntos, por isso os deixou trabalhando sozinhos até terminarem, às seis e meia, quando Charlie e Ethan entraram no Saab velho de Ethan e Silas montou na sua bicicleta e desceu pela Indian Pond Road até sua casa, a menos de mil e seiscentos metros de distância.

O que nenhum deles contou para a polícia foi que, assim que Luke foi embora, os três correram pelo campo nos fundos da casa até as trilhas que levavam à propriedade da Igreja da Unificação, que a garotada chamava de Moon, porque todo mundo sabia que a Igreja da Unificação era só outro nome para os seguidores do reverendo Moon. Não contaram que se revezaram, dando tragadas no *bong* do Silas. Também não contaram que, por acaso, todos tinham um pouco de fumo e então misturaram um punhadinho de cada um no *bong* e fumaram o que Charlie, sarcasticamente, chamou de salada de casamento. Ali no terreno da igreja do Moon, os três perderam a noção das horas e, quando voltaram, já eram quase seis. Depois que Silas enfiou sua mochila amarela dentro do galpão de pedra que ficava junto à cozinha, os três terminaram o serviço às pressas e foram embora antes de escurecer. Naquela altura, a entrada da garagem estava repleta de carros e a casa estava cheia de gente para o jantar da véspera do casamento, por isso eles foram embora sem falar com Luke, que imaginavam estar puto da vida por eles terem sumido quando ele voltou. Também não queriam que ele sacasse que estavam doidões. Antes de ir embora, Silas se lembra de que viu Lydia na varanda fechada. Estava sentada ao lado de June no sofá de palhinha, as duas riam, tinha velinhas acesas em volta delas, cintilantes sobre as mesas, com flores e comida. Ele não consegue lembrar mais nada além de ter visto as duas mulheres, porém recorda com clareza o cheiro doce de grama recém-aparada, o barulho que o pano da tenda fazia no vento fraco e as primeiras faixas do pôr do sol, que tingiam o céu de cor-de-rosa. Isso aconteceu nos últimos segundos antes de ir para casa, e ele repetiu cada segundo, em pensamento, um milhão de vezes.

É difícil acreditar que a mulher que Silas viu na varanda naquela noite de maio seja a mesma que agora caminha com ar sinistro na sua frente, embrulhada numa jaqueta de lã roxa, movendo as pernas penosamente pela Herrick Road, na direção da Upper Main Street. Desde aquela noite, ele nunca mais viu Lydia rindo ou com expressão alegre.

Silas desacelera o passo a fim de deixar que a distância entre eles aumente. Ignora se Lydia sabe ao menos quem é ele. Silas trabalhou para Luke de modo intermitente, em três verões e nos fins de semana do outono e da primavera. Lembra que estava junto ao galpão de pedra e que fugiu correndo quando ouviu a voz de Luke, que vinha da cozinha. Lembra que correu para a entrada de carros e saiu voando em sua bicicleta, à beira dos milharais verdes que se estendem a partir do limite da propriedade de June Reid, e que passou pela igreja onde a filha de June ia casar no dia seguinte. Reduziu a velocidade quando chegou ao Indian Pond, cuja água refletia a luz vermelho-arroxeada do pôr do sol que se alastrava acima dele. Lembra dos vaga-lumes que piscavam nos arbustos e na mata, nos dois lados da estrada, enquanto pedalava. Lembra que parou a fim de avançar agachado, no meio do mato, até a beira da água para dar uma mijada, lembra o céu alucinante, a superfície parada do lago que nem um espelho, até seu mijo levantar ondulações. O efeito era igual ao de uma viagem, ainda mais porque ele continuava meio doidão. A certa altura, as nuvens se movimentaram e, acima dele, formaram o que parecia um dragão enorme, com asas do tamanho do mundo. Silas fugiu do lago aos tropeções quando a criatura se mostrou por inteiro: mandíbulas pontilhadas de dentes cuspindo chamas, fumaça jorrando do focinho, asas majestosas que se desdobravam em escamas de nuvens, a cauda gigantesca se retorcendo até o horizonte. Era uma fera espetacular, os olhos eram o único ponto azul visível, fendas compridas que pareciam se alargar à medida que a cabeça se virava lentamente para Silas, sentado e encostado no barranco da margem, fascinado e cheio de pavor.

Passados todos aqueles meses, ele havia esquecido o dragão e havia esquecido que, por alguns segundos aterradores, acreditou que fosse real. Esqueceu que estava escuro na hora em que achou o caminho de volta, da margem do lago até a estrada, e que, no início, não conseguia encontrar a bicicleta. Pensa nos momentos em que cambaleou no escuro, até achar a bicicleta, que havia tombado junto à árvore em que ele a deixara encostada mais cedo. Gostaria de poder voltar àquele estado cambaleante. Àquele minuto de absoluta cegueira, antes de saber o que quer que fosse. Nem onde estava sua bicicleta. Nem o que aconteceria, mais tarde, naquela noite, ou na manhã seguinte. Nem que dali a pouco uma lua cheia ia subir e iluminar o vale todo. Nem que depois, quando todos de sua família já estivessem dormindo, ele ia montar de novo na sua bicicleta e pedalar furiosamente por aquela mesma estrada, contando com a luz da lua para guiar seu caminho até a casa de June Reid.

Sem perceber, Silas acelera o passo e estreita o intervalo que o separa de Lydia. Depois de atravessar a Herrick Road e subir na calçada que corre ao longo da Upper Main Street, ele se esquece de que deve se manter escondido. O que, poucos minutos antes, tinha sido uma distância de pelo menos três carros agora se reduzia a poucos metros apenas. Quando se dá conta de como está próximo, Silas sabe que deve desacelerar o passo até parar discretamente e se esquivar para dentro da entrada de carros de uma daquelas casas e sumir de vista. No entanto, nunca esteve tão perto. Acha que dá para ouvir a respiração dela. O ar está frio, mas consegue ver a transpiração porejando na nuca da mulher. Ela tirou a jaqueta de lã e Silas pode ver trechos de pele através do pano encharcado de suor de sua camiseta branca. Seus olhos se movem de um ponto para outro da pele quase exposta. Observa mais de perto. Seu sapato raspa na calçada, o atrito faz barulho na areia solta e, pela primeira vez, pode notar que ela percebe sua presença. Seu outro pé, por acidente, chuta um graveto que voa e vai bater na parte de trás da canela de Lydia, e ela para abruptamente, se vira. Ele fica gelado. Ela está a centímetros de distância.

# June

Depois do labirinto de estradas de terra, coalhadas de pedras e destruídas pela erosão, que partiam do lago Bowman, o asfalto liso da rodovia 93 ao sul de Kalispell é um alívio. Quando vê a placa para Butte, ela vira na direção da saída para a interestadual 90, e depois pega outra saída quando vê a placa para Salt Lake City. Alguns quilômetros depois, já no território de Idaho, ela sente que a caminhonete está puxando para a esquerda. A pressão piora, por isso ela pega a saída seguinte, e quando encontra afinal um posto Texaco, já mal consegue manter o carro andando em linha reta. Os garotos na bomba de combustível não têm a menor ideia de como se troca um pneu. O posto é antes um mercado que, por acaso, também vende gasolina do que um posto de combustível propriamente dito, onde todo mundo sabe tudo sobre automóveis. June espera que pare alguém com jeito de quem sabe o que se deve fazer. Não demora muito e um cara mais velho, com a cabeça coberta por uma espessa cabeleira, de barba branca e curta e camisa de flanela vermelha, encosta seu caminhão junto à bomba de combustível. Quando ela pergunta se ele sabe trocar pneu, a expressão de quem acha graça que surge no rosto do homem deixa claro que ela escolheu a pessoa certa. Ele estende a mão e diz: *Brody Cook se apresentando ao serviço.* Ela aperta a mão, mas não diz nada. *Muito bem,* diz ele, ainda alegre. Sorri, termina de abastecer e paga o combustível. Em seguida, afasta o caminhão das bombas, estaciona ao lado do Subaru e pergunta onde está o estepe e June responde que não tem certeza de que tenha um estepe na caminhonete. *Só pode estar em dois lugares,* diz ele. *Na frente ou atrás?* Olha para ela, à espera, e June não tem a menor ideia do que responder. *Muito bem, vamos tentar na frente.* Levanta o capô e, após uma rápida olhada no motor, diz: *Então está atrás.* Quando ele vai para a traseira da caminhonete e abre o bagageiro, June ouve que ele pergunta onde ela quer que ponha as malas. E pergunta de novo. Como ela não responde, ele dá a volta pelo carro com uma mala na mão, uma bolsa de lona na outra mão e põe as duas no asfalto. *A senhora vai cuidar disto aqui,* diz ele, antes de voltar a fim de retirar o estepe que está embaixo de uma tampa, por baixo do tapete.

Elas ficaram com June o tempo todo. Enfiadas no bagageiro do Subaru, arrumadas, prontas e esquecidas. Será possível, se pergunta June, que ela não abriu o bagageiro desde o dia em que partiu de carro? Ela não teve nenhum motivo para pegar as malas. Não trouxe nada consigo, não comprou nada no caminho senão uma escova e uma pasta de dentes, num posto de gasolina na Pensilvânia, no primeiro dia de viagem. Quanto tempo faz? Uma semana? Duas? Ela perdeu a referência do tempo quase na mesma hora em que deixou Connecticut para trás. Mesmo agora, não consegue lembrar quantas noites dormiu na caminhonete, junto ao lago Bowman. Três noites? Quatro? Ela foi ficando, até que as garrafas de água e os sacos de amendoim e passas que ela havia comprado em Ohio acabaram. Aquelas malas estiveram com ela desde o início, por mais longo que tenha sido esse tempo.

É óbvio a quem pertencia cada uma das malas. A de Will é um reluzente amontoado de zíperes e bolsos, com argolas e uma alça dobrável; a de Lolly é uma bolsa de lona verde-oliva, envolta em tiras de couro e manchada de tinta. Lolly nunca seria organizada o suficiente para guardar suas coisas para a viagem uma noite antes e já ter as malas prontas, à espera, no bagageiro do carro. Aquilo era trabalho das mãos de Will. Ele era o genro com que Adam sempre sonhou: o tipo de cara que lia tudo sobre doenças contagiosas em países estrangeiros antes de viajar para lá, que pagava todas as suas contas com antecedência, que de noite, antes de dormir, punha a água e o pó de café na cafeteira elétrica e ajustava o relógio do aparelho. O tipo de cara que cuidava para que as malas de sua lua de mel na Grécia estivessem prontas, à espera no bagageiro do carro da sogra, na noite anterior a seu casamento. June pode até ouvir a voz dele recapitulando para Lolly os horários dos compromissos. Casamento à uma hora, recepção entre duas e seis horas, saída de casa para o carro de June às sete horas, para que June e Luke os levassem ao Aeroporto Kennedy, no máximo, até as nove e meia, para tomarem seu voo para Atenas, às quinze para a meia-noite. Will chegou a mandar um e-mail com todo o itinerário para Lolly, Adam, os pais dele, Luke e June, de modo que ninguém tivesse dúvida sobre quando tudo tinha de ocorrer.

A bolsa de lona de Lolly está fechada com o zíper só até a metade e, na ponta aberta, só com alguns centímetros para fora, June vê a extremidade de uma toalha azul-clara. Brody roda a manivela do macaco para levantar a parte dianteira esquerda do carro e June tem vontade de ir embora, a pé. Que fiquem para ele, o carro, as malas, a toalha. Quando recua em silêncio, um pé atrás do outro, lentamente, June ouve a voz de

Lolly chamando Will: *Espere! Esqueci minhas vitaminas!* Isso foi depois do jantar na véspera do casamento, depois que Luke tinha limpado toda a sujeira que fizeram, na hora de preparar o molho de pimenta para todo mundo. Depois que Adam foi para a cama e Lydia, um pouco grogue, foi para casa. June está sentada à mesa da cozinha, pondo em ordem um monte de cartas esquecidas. *Espere!* Lolly chama do seu quarto, quando Will já está do lado de fora, na porta da frente, com as malas. Lolly desce a escada dos fundos, fazendo muito barulho, como sempre fez — depressa, com estrondo, que nem uma avalanche. Sai voando pela porta, pés descalços, segura nas mãos uma toalha azul-clara, que pegou no banheiro do primeiro andar e com a qual fez uma trouxa para guardar seus frascos de vitaminas. *Volte aqui! Estou descalça!* June ouve os dois rindo do lado de fora, pertinho da porta, e pensa, com uma ponta de nostalgia e de inveja, que aquele momento de seu relacionamento, de suas vidas, é o melhor que jamais terão. O antes. *O ponto mais alto da roda-gigante,* lhe disse, certa vez, um homem com quem ela saiu em Londres, na hora em que viram a cidade do alto, na recém-inaugurada roda-gigante London Eye. Aquele encontro com um desconhecido foi armado por uma colega da galeria, bem-intencionada, mas afoita demais. O homem era colega do tio dela, viúvo, e para ambos ainda era muito cedo. A maior parte daquela noite desapareceu de sua memória, mas quando os dois chegaram ao cume da roda-gigante e viram as luzes douradas de Londres se espalhar num caos majestoso lá embaixo, June lembra que ele explicou sua teoria com a paciência fatigada que ela já se acostumara a encontrar nos homens ingleses. *Aqui fica a articulação entre a juventude e a velhice, o local arrebatador de onde tudo parece visível, parece possível, onde se fazem os planos. De um lado, temos a infância e a adolescência, que são a turva ascensão, e do outro lado temos o declínio, que é a idade adulta, a velhice, o gradual reconhecimento daquela visão grandiosa e breve da realidade terrena.*

Ao ouvir os sussurros e os risos de Lolly e Will lá fora, June imagina os dois balançando num banco dourado no cume de uma roda-gigante. Ela deixa a imagem perdurar. Não abriu nenhuma das cartas espalhadas na sua frente sobre a mesa. Imagina Londres naquela noite, um labirinto de luzes que se estende de modo fascinante em todas as direções. Vê Lolly lá no alto, por cima de tudo, rindo. Remexe as contas e as cartas distraidamente, arruma todas elas pelo formato e pela cor. Então ouve a voz de Lolly que chama por ela através da porta da frente, ainda aberta, pede que vá até lá e abra a caminhonete. Está frio, ela veste o casaco de linho e, ao fazer isso, sente no bolso esquerdo o cartão que Luke pegou emprestado mais cedo para sacar dinheiro a fim de pagar os garotos que ele contratou para cuidar do gramado. Ela apanha as chaves na bandeja de bronze onde costuma largá-las e sai na direção da garagem a fim de abrir o carro para Will. Quando eles voltam, Lolly está descalça sobre o capacho na porta, de calça de moletom, ainda com a blusa elegante que usou na festa, à espera de que os dois entrem de novo. Ela está rindo aquela sua risada de pateta. Quando vê June sob os raios do refletor na frente da casa, Lolly grita, *Mãe!*, de um jeito ridículo, sem pensar, como uma adolescente que tem um relacionamento fácil com a mãe. O cume da roda-gigante é um lugar que dá vertigem e apaga o pensamento, reflete June, e que desfrutamos de modo muito rápido. Quando ela chega à porta da frente, abraça a filha durante todo o tempo que ela permite.

Entram em casa e Luke faz um chá de camomila. Os quatro sentam na varanda fechada e conversam sobre o jantar, ocorrido mais cedo, o molho de pimenta e os ovos recheados. Will fica brincando com Lolly, dizendo que ela vai se atrasar na igreja, no dia seguinte, vai perder a aliança e confundir os votos.

Sentindo-se muito bem-humorada com Lolly, o que era raro, June entra na conversa e conta que, quando criança, ela se enfiou no banheiro na hora em que devia fazer sua única e brevíssima participação numa peça do teatro da escola, na oitava série, chamada O *mundo encantado dos brinquedos*. A conversa corre alegre, as brincadeiras são gentis, porém aos poucos Lolly vai ficando calada, como se de repente tivesse se dado conta de que baixou a guarda, se esqueceu de manter uma distância segura. Ela se retrai e a conversa passa para o segundo ano da faculdade de direito de Will, que vai começar em breve, sobre o que ele vai fazer quando se formar — estágios, empregos, cargos. Depois de um tempo, e sem que ninguém esperasse, Lolly pergunta se Luke vai pedir a mãe dela em casamento. A conversa para de todo. Não há nenhuma graça na voz dela, nenhum tom jocoso. Luke adota o mesmo tom de voz e o mesmo olhar de Lolly. *Já pedi. Mas sua mãe não leva o assunto a sério. Ou não me leva a sério. É difícil saber qual dos dois. No início, eu achava que ela se esquivava por sua causa, mas agora que você está mais velha, já fez faculdade e está praticamente casada, começo a pensar que deve ser outra coisa. Ultimamente, fiquei torcendo para que toda essa história de casamento mexesse com ela, mas não aconteceu. Portanto, a resposta à sua pergunta é sim, e a resposta ao meu pedido, feito duas vezes, é não.* Não é essa a reação que Lolly espera. Ninguém espera, inclusive Luke, a julgar pela expressão em seu rosto. O único som que se ouve é o da máquina de lavar pratos que zumbe na cozinha e o impenetrável barulho do canto das cigarras, que aumentou gradualmente, de um zunido elétrico até um ronco monótono. Depois de alguns segundos incômodos, Lolly se levanta e puxa Will junto. Os dois saem da varanda, enquanto Will dá boa-noite, em tom de desculpa, para eles. *A gente se fala de manhã*, diz, do alto da escada, antes de a porta do quarto de Lolly fechar, com força. Eles foram embora.

Um caminhão-plataforma, carregado até em cima com pranchas de compensado, passa fazendo um enorme barulho. June caminha na contramão, de cabeça baixa, passa pelo Arby, pelo Taco Bell, pelo Exxon. Vê os sapatos de Luke, os marrons, com fivelas, que ele comprou num dos catálogos de compras pelo correio que ela arranjara justamente para o casamento. Os sapatos estão perfeitamente engraxados, mas June vê respingos de tomate, que devem ter caído na hora em que ele preparava o jantar. Minúsculas pontas de grama recém-cortada aparecem nas bordas da sola. Um pequeno torrão de terra cai na cerâmica, quando Luke, nervoso, dá um chute na perna da mesinha de café feita de vime. Nenhum dos dois falou nada, desde que Lolly e Will subiram para o quarto no primeiro andar. Luke continua a se remexer e June pode ver as meias brancas de ginástica que aparecem por baixo de sua calça cáqui. A mão dele se move na direção da perna de June, o polegar começa a esfregar sua coxa, antes que ela afaste a perna e se levante para sair. Ele tenta segurar sua mão e, ao retirá-la com um tranco, a unha de June arranha a bochecha de Luke, logo abaixo do olho esquerdo. Ele se retrai e se afasta. Ela não pede desculpa, não para a fim de ver se a ferida está sangrando, não hesita quando sai da varanda e vai para a cozinha.

No meio do barulho dos carros que passam, ela ouve alguém chamando. *Senhora! SENHORA!!* Ela sabe que devia parar com aquilo, mas a sensatez já vai longe.

Ela está na pia, enchendo a chaleira de água para fazer mais chá de camomila. As mãos tremem. Ela gostaria que as coisas voltassem a ser como eram, no início daquele dia. Até agora, tudo tinha corrido sem incidentes. Mesmo com Adam, que chegou de manhã, de Boston, sozinho e sem nenhuma garota, graças a Deus. No último minuto, June tentou convencer Lolly de que seria muito mais fácil para todo mundo se Adam ficasse hospedado no Betsy, onde estavam a família de Will e outras pessoas, mas a reação de Lolly foi imediata e vulcânica e, apesar da abordagem delicada de June e de suas preocupações ponderadas, Adam foi instalado no quarto de hóspedes no primeiro andar. No entanto, ele se mostrou cordial com Luke, o que era inesperado e surpreendente, em vista da maneira como Adam se comportara quando os dois se encontraram no ano anterior, na formatura de Lolly no Vassar College. Adam se recusou a tomar conhecimento de Luke e ficou resmungando a tarde inteira em voz baixa: *sedutor de mulheres mais velhas e cafajeste*. Lamentavelmente, June reagiu no mesmo nível e lembrou a Adam que ele já vinha assediando o berçário muito antes de o casamento dos dois chegar ao fim. June lembra que Luke ficou calado e que só bem mais tarde naquela noite ela conseguiu enxergar a situação do ponto de vista dele: dois ex-cônjuges na meia-idade, cheios de amargura, acusando um ao outro, de dedos em riste, por escolherem pessoas mais jovens para namorar. Era humilhante. Ela jurou que ia evitar aquele tipo de desavença no casamento de Lolly, e, para sua surpresa, até então, aquilo não tinha exigido nenhum esforço. Adam se mostrou respeitoso. Sem farpas, sem estocadas. A última pessoa que June esperava que fosse bagunçar a festa era justamente o Luke. Porém, ao aceitar a provocação de Lolly, como fez, Luke tinha aberto a represa de uma série de problemas, que ela acreditava, ou pelo menos esperava, que ficasse fechada para sempre.

A chaleira está cheia, mas ela não consegue tirá-la de debaixo da torneira. Está transbordando, mas a água que espirra e o peso da chaleira na sua mão têm um efeito tranquilizante. Ela não tem a menor ideia do que vai fazer em seguida, por isso não faz nada. Sente-se encurralada, indignada e equivocada. Gostaria de poder voltar à calçada da frente, mais ou menos uma hora antes, ouvir Lolly chamar por ela, quando a viu surgir no facho dos holofotes. *Mãe!* Ela gostaria de poder recomeçar a noite a partir desse ponto, desviar seu rumo para longe do ponto em que está agora. Observa o fluxo contínuo de água que sai da torneira, como derrama por cima da chaleira e some dentro do ralo.

Carros passam zunindo, buzinas ressoam. Ela está andando mais depressa, mas a voz está mais perto. *SENHORA! O que foi que houve?!* Ela começa a correr e logo alguém agarra seu braço. *PARE*, grita a voz. *Que diabo a senhora está querendo fazer?*, pergunta, mais perplexo do que irritado. Ela olha para a fonte da voz — a barba, a camisa de flanela, a cabeça de cabelos brancos — mas ela não vê o homem que a ajudou pouco antes. Desculpe, diz ela, mas não para aquele homem. Está olhando para a água que corre, para suas mãos trêmulas. *Ah, meu Deus, desculpe*, diz ela outra vez, caindo sobre um joelho e depois sobre o outro. Pela primeira vez, já bem distante e junto de uma pessoa que não conhece, ela chora.

# George

Eu saía de manhã e o quarto estava a maior bagunça — lençóis e cobertores torcidos e embolados, roupas e toalhas pelo chão. Mas quando eu voltava para casa, de noite, depois de um dia no hospital com Robert, tudo estava impecável. Cama arrumada, roupas cuidadosamente dobradas dentro do camiseiro. Até a tampinha da pasta de dente estava de novo atarraxada e o pente e o barbeador postos lado a lado, no lugar exato, em cima de uma toalha de rosto junto à pia do banheiro. Não sou uma pessoa bagunçada, mas quando recordo o tempo que passei no Betsy, percebo que saí dos trilhos. Perdi o controle de tudo — a saúde de minha esposa, meu filho, meu trabalho — e justamente naquele espaço, naquele diminuto quarto de motel na Nova Inglaterra, os problemas que existiam podiam ser resolvidos por outra pessoa. Essa outra pessoa era Lydia. Eu não a vi nas duas primeiras semanas. Mas eu a sentia; momentos antes de eu abrir a porta daquele quarto de motel, eu previa o quarto limpo, a ordem restaurada, o aroma de limão na madeira lustrosa e, naqueles dias, isso era a única coisa que me dava algo parecido com alívio.

Robert ficou em coma por três dias. Ele aspirou o próprio vômito quando perdeu a consciência e os médicos acham que ele ficou privado de oxigênio talvez por três horas, antes de a polícia descobri-lo largado naquele curral. Fiquei ao lado da sua cama até ele sair do coma. Sei que pode parecer cruel, mas uma parte de mim tem saudade daquelas horas que passei com meu filho. Meu papel, o que eu podia fazer por ele, nunca foi tão claro. Eu tinha de ficar perto dele. Falava com ele sobre suas irmãs e sua mãe, sobre nossos cães e sobre a casa feia que estavam construindo do outro lado da rua, na mata onde ele brincava antigamente. Segurava sua mão, algo que eu nunca tinha feito e que não voltei a fazer depois. Às vezes me pergunto se com os outros pais não é a mesma coisa. O que sei é que, para mim, ter um filho foi uma charada difícil, um vaivém na corda bamba, entre rigor demais e tolerância demais. Nunca cheguei a dominar o assunto. Era diferente com minhas filhas, com elas não havia complicação para amar, cuidar. As regras do compromisso eram muito mais óbvias. Robert jamais gostou de esporte. Às vezes, acho que foi porque, quando ele era muito jovem, eu estava ocupado demais com o trabalho, com Kay e com as meninas para pôr uma bola de basquete nas mãos dele e levá-lo a uma quadra. Ele gostava do seu complexo mundo de fantasia do jogo de RPG Dungeons & Dragons e dos livros que ele fazia, e gostava do Tim, mas não tinha o menor interesse em nada que eu conhecia. Quando Kay estava viva, dizia que não era papel dele se interessar por mim, mas que o meu papel era me interessar por ele. Se ela estava certa, e espero que estivesse, fracassei tremendamente em minha missão. Quando ele partiu para Harkness, eu tinha me convencido de que Robert ficaria melhor longe da minha interferência, que ele já era autossuficiente e que percorreria perfeitamente os caminhos do colégio interno e da faculdade, sem saber jogar basquete e sem um pai que soubesse sair do labirinto de castelos no jogo Dungeons & Dragons. Agora, posso ver como essa ideia era conveniente para mim.

Depois que saiu do coma, Robert continuou na UTI por nove dias. Estava consciente, mas alheio, e sua fala ficou prejudicada. Fiquei sentado a seu lado, como nos três primeiros dias, mas não segurei sua mão. Entre tantas coisas para lembrar, recordo minha hesitação com a mão na manhã em que ele tinha acabado de despertar, assustado, embrulhando as palavras mais simples. Esse é um momento em que eu agiria de maneira diferente, se tivesse oportunidade. Há muitos. Afinal, com o que eu podia estar preocupado? *Com tudo*, é a resposta. Eu estava preocupado com tudo. É penoso admitir, mas quando me lembro desse tempo, me vejo como um tolo leviano, que retorcia as mãos diante de qualquer pequena decisão e mesmo assim errava, na maioria das decisões. Por que as coisas só começam a fazer sentido quando já é tarde demais? No geral, já me conformei com a maioria dos erros que cometi, mas de vez em quando esbarro com uma lembrança que ainda me derruba direto. Não ter cercado meu filho de atenção e amor nos primeiros anos, não ter segurado sua mão e não o ter puxado para junto de mim o máximo que eu podia, ter deixado que fosse embora para o colégio interno, porque, na época, parecia ser uma coisa a menos para me preocupar. Esses são arrependimentos que vêm e vão, e quando aparecem, não há nada a fazer, nenhuma ação minha pode melhorar o que houve. Eu me limito a deixar que venham e fiquem pelo tempo que quiserem.

Depois de passar um tempo na UTI, Robert foi transferido para a Unidade de Reabilitação Aguda para tentar fazê-lo andar, falar e resolver problemas de novo. Houve um dano cerebral, mas, com exercícios, os médicos me garantiram que era provável que ele voltasse a ser plenamente funcional, tanto no aspecto físico como no cognitivo. Trabalharam nele durante quase um mês e, naquela fase, viajei para casa de avião uma ou duas vezes, mas no geral fiquei no motel e via Robert no café da manhã no fim de todos os dias, na hora do jantar. Os médicos queriam que ele se concentrasse nas várias terapias ao longo do dia, por isso eu ficava afastado, trabalhava no quarto do motel e falava com Kay, minha mãe e minha irmã, que estavam levando minha esposa para a quimioterapia e ajudavam com as meninas. Kay perguntava sobre Robert, mas se esquivava de todas as perguntas que eu fazia sobre como ela estava se sentindo. Tentava se mostrar animada, mas eu percebia que se esvaía um pouco mais cada vez que conversávamos.

Conheci Lydia no dia em que Robert foi transferido para a unidade de reabilitação e o médico pediu que eu voltasse no fim do dia. Pela primeira vez, desde o dia em que me registrei na recepção, voltei para o motel antes do anoitecer. Ouvi o aspirador de pó ligado quando pus a chave na porta e, por um segundo, hesitei antes de abrir. Não tinha certeza de que queria, de fato, ver quem executava aquela magia diária de limpar e arrumar minhas coisas com tanto cuidado. Eu desfrutava o mistério e soltava a imaginação, por isso, antes de girar a chave na fechadura, me detive e escutei o zunido do aspirador, o barulho do aparelho sendo empurrado pelo chão e esbarrando de leve nos móveis. Não devo ter percebido o aspirador desligar, porque, sem nenhum aviso, a porta abriu e, de repente, lá estava ela. De jeans e camiseta branca apertada, um monte de cabelo castanho preso sem firmeza na cabeça, pelo menos dez anos mais jovem do que eu. Jovem. Linda. Lydia.

Naquele primeiro dia, ela fugiu correndo e nenhum de nós falou mais do que um desajeitado bom-dia. Na manhã seguinte, voltei depois de um breve café da manhã com Robert, e ela ainda não tinha chegado. Por algum motivo, fiquei nervoso. Comecei a limpar o quarto e arrumar as roupas, que era o que eu devia ter feito desde o início. O trabalho dela era limpar os quartos e não cuidar da bagunça dos hóspedes. Não arrumei a cama e, em vez disso, dei a descarga na privada e arrumei uma porção de papéis do hospital que estavam espalhados sobre a mesa. Ela apareceu antes do meio-dia e não se deu ao trabalho de bater na porta. Acho que não tinha imaginado que eu estivesse lá dentro, então apenas usou sua chave e entrou. Eu estava sentado na cadeira junto à cama e continuei em silêncio enquanto ela colocava em cima do tapete da porta seu grande balde de plástico cheio de material de limpeza. Ela estava com a mesma calça jeans do dia anterior e, de novo, uma camiseta, mas azul-clara, em vez de branca. Dei bom-dia e ela gritou.

O que aconteceu nas três semanas seguintes não é algo de que eu me orgulhe, mas também não é algo de que me arrependa. Como tantas outras coisas. Lydia Morey era uma mulher triste e jovem, aprisionada num casamento ruim, e eu era um homem assustado que sabia que minha esposa, em breve, ia morrer. Havia outra coisa — ela era sensual. Jovem, saudável e, por baixo daquele jeans e daquela camiseta apertada, havia uma figura curvilínea digna de uma modelo de fotos de calendário. E embora se sentisse confusa, ela também era resistente, e de um jeito que me dava a entender que saberia dar um jeito. Que ela daria um rumo em sua vida e conseguiria sobreviver. Espero que tenha conseguido.

No geral, apenas conversávamos. Ela me contou sobre o pai que não conheceu, sobre a língua afiada da mãe e como a mãe a pressionou para ficar com o marido, apesar de suas caçoadas e de sua violência. Ela falou de sua vontade de fugir. Ir para alguma cidade no Meio-Oeste, para qualquer lugar onde ninguém a conhecesse e onde ela pudesse recomeçar. Era surpreendente e triste ver uma pessoa tão jovem sentir-se desamparada. Eu escutava, mas não oferecia nenhuma solução, nenhum conselho. Como poderia? Minha vida estava em farrapos e eu não tinha a menor ideia do que fazer. Ela me ouvia contar minha história de desgraças e conseguíamos rir de tudo aquilo, até da overdose, até do câncer. Nossas vidas pareciam irreais e remotas enquanto estávamos ali, naquele quarto de motel. Como se contássemos, um para o outro, histórias das vidas de outras pessoas, não de nossas vidas. Talvez fosse disso mesmo que precisávamos naquela ocasião, eu e ela. Não sei. O que sei é que não dava a impressão de haver nada de ruim ou errado. Eu nunca tinha sido infiel a Kay, durante os dezoito anos de nosso casamento. Também nunca tinha me sentido seriamente tentado a ser infiel. Porém, antes de ir embora do motel Betsy, dois dias antes de voltar para Atlanta, fui para a cama com Lydia. Começou quando ela me deu um beijo. Primeiro na testa, depois nos lábios. Estávamos sentados na cama e tinha havido um silêncio demorado. Eu tinha acabado de contar que ia levar Robert de volta para Atlanta, para um hospital onde era possível dar prosseguimento à sua terapia. Não havia nada a dizer. Os dois sabíamos que eu nunca voltaria para Wells, em Connecticut, e para o Betsy. Nossos dias juntos estavam à beira de acabar. Então ela me beijou. E eu a beijei.

Até hoje, me lembro daquelas horas com Lydia Morey como as mais doces e mais desesperadas de minha vida. E eu me pergunto se ela ainda se lembra de alguma coisa.

# June

Há pouquíssimas roupas na bolsa de Lolly: um maiô, um vestido de verão, calcinhas, sandálias de dedo, rasteirinhas, duas camisetas e um par de pijamas masculinos roubados de Adam, anos antes. Há mais frascos de vitaminas e cadernos do que roupas.

O homem que se apresentou como Brody levou June de volta para o carro e a conduziu até um motel Super 8, a menos de um quilômetro e meio de distância. Quando ela disse que não tinha nenhum documento de identidade, Brody a registrou com seu próprio cartão de crédito e sua carteira de motorista. Ele carregou a bolsa de lona de Lolly até o quarto, rabiscou seu telefone e disse para June que ia levar o Subaru para a oficina de um amigo, ali perto, para trocar o pneu por um novo e verificar o resto. Voltaria de manhã.

Na mesma hora, ela desabou. Encolhida embaixo dos lençóis, os primeiros em que tocava havia mais de uma semana, dormiu até de manhã. Estava acordada quando Brody veio lhe entregar a chave do carro. June já tinha ido ao caixa automático, no saguão, a fim de pegar dinheiro para pagar o pneu e o quarto de motel. Eram só duzentos dólares, o máximo que ela podia sacar. Quando ele recusou o pagamento, ela dobrou as notas e enfiou-as no bolso de seu jeans. *Você teve mais do que esperava quando pedi sua ajuda,* disse ela, mais palavras do que dissera ao longo de semanas.

*Estou contente que você tenha pedido ajuda para mim,* respondeu ele, com o primeiro toque de flerte na voz.

Quando ele vai embora, ela senta na cama ao lado da bolsa de Lolly, que ela voltou a encher, mas não antes de dobrar e arrumar cada peça, cuidadosamente. Deixa os cadernos em cima da cama e senta perto deles, antes de colocar um dos cadernos no colo. São três, todos com a mesma capa laranja que Lolly preferia, desde o ensino médio. E, da mesma forma como eram no passado, os cadernos estão coalhados de pedaços de papel dobrado, poemas arrancados das páginas da revista *New Yorker*, bilhetes ilegíveis do editor de fotografia de quem Lolly era assistente na revista de moda em que havia começado, como estagiária, receitas amassadas, um cartão do metrô, cardápio de pratos para viagem, de restaurantes do centro da cidade, contas, páginas rasgadas de catálogos de galerias de arte. Lolly sempre usara aqueles cadernos velhos e surrados como uma espécie de arquivo portátil para sua vida, só que não tinham nenhuma ordem, nenhum sistema. O caderno que June está segurando se encontrava mais perto da parte de cima da bolsa de lona, embaixo da toalha azul-clara que embrulhava um monte de frascos de vitaminas. Na capa, não tem nada escrito. Ela abre o caderno, folheia as páginas de leve com a ponta dos dedos. Recorda-se de ter catalogado telas inacabadas de um pintor que ela representou, certa época, e que cometeu suicídio. A família lhe pediu que vasculhasse o apartamento e o ateliê do pintor e organizasse tudo o que achasse ser importante. Ela se recorda de ter encontrado um velho manual de escoteiro, cheio de caprichados desenhos de animais, feitos a lápis — em geral, ursos, alguns delicados filhotes de ursos coalas e de ursos pretos, outros ferozes, com os dentes à mostra e as garras de fora. Muito provavelmente, ninguém jamais tinha visto aqueles desenhos e ela se lembra de ter tido o impulso fugaz de roubar o livro e guardar consigo. Havia nele algo muito particular e belo, tão cheio de esperança, a despeito da situação que a levou a descobri-lo. Não o roubou e, em vez disso, incluiu-o numa exposição na galeria em Nova York e vendeu-o a um dos antigos colecionadores das obras do artista. Foi uma das últimas exposições que organizou em Nova York, antes de partir para Londres.

Nas três primeiras páginas do caderno de Lolly, estão plantas baixas de casas imaginárias, todas com um quarto de dormir, alguns amplos espaços comuns e dois cômodos rotulados de ATELIÊ DE LOLLY e ATELIÊ DE WILL. Ateliê para o quê? June tenta imaginar. No ensino médio, Lolly havia rabiscado desenhos com giz pastel e aquarela, mas depois June não a ouvira mais falar do assunto. As páginas seguintes estavam cheias de poemas rascunhados, listas de tarefas por fazer, esquemas para os lugares à mesa em que ficariam os convidados na festa do casamento. Há páginas com projetos de cardápio do Feast of Reason que Lolly vivia pedindo para Rick revisar e reformular. Há fotos de bolos de casamento e flores rasgadas de revistas; e há avisos de contas de luz atrasadas do apartamento de Lolly e Will, na cidade.

A conta de luz de Lolly, o serviço de bufês que não foi pago. É a primeira vez que essas responsabilidades não cumpridas vêm ao pensamento de June. Uma pontada de pânico, um sentimento de ter de cuidar das coisas retorna. É um sentimento antigo, familiar, de outra vida. O único telefonema que ela deu foi para Paul, seu advogado na cidade, perguntando o que era preciso fazer para dar a ele uma procuração que o habilitasse a se encarregar de tudo — os pedidos de pagamento à companhia de seguro, as contas bancárias, faturas em aberto. Ela pediu ao advogado que unificasse suas contas bancárias, liquidasse sua aposentadoria privada, pagasse quaisquer multas necessárias, vendesse a propriedade onde ficava a casa, se pudesse ser vendida, e transferisse qualquer dinheiro que ela tivesse para sua conta corrente, de modo que ela pudesse ter acesso ao dinheiro por meio de seu cartão de débito. Paul foi de carro para Connecticut, com os documentos que tinham de ser assinados, e levou consigo um ajudante do escritório para registrá-los no cartório. June lhe disse, no telefone, que ela não queria nenhuma discussão nem receber conselhos, só queria que ele fizesse aquilo, e ele podia tirar da conta, agora sob seu controle, o que fosse devido por seu serviço. June esperava que Rick e mais alguém a quem ela devesse dinheiro conseguisse entrar em contato com Paul. June começa a fazer uma lista mental de quem poderiam ser tais pessoas. Rick, o senhorio de Lolly na cidade, Edith Tobin, a cobradora de impostos do município. Os nomes zumbem como abelhas. Ela fecha o primeiro caderno e tira outro da bolsa de lona. Esse tem o nome de Lolly escrito na capa e, embaixo, uma data. É uma data vaga, de dois anos antes, Verão 2012, que foi quando Lolly regressou do semestre que passou na Cidade do México; quando levou Will para Boston a fim de conhecer Adam e, depois, para conhecer June. O encontro foi breve. Jantar em Nova York. Isso foi antes de Lolly aceitar encontrar-se com Luke, então June foi para a cidade sozinha e voltou na mesma noite. Ela mal consegue lembrar-se de Will. Lolly trouxe muitos namorados ao longo dos anos, portanto não havia motivo para esperar que com aquele fosse diferente. Além do mais, June não via Lolly desde o Natal. Ela pedira a Adam e também a June que não fossem visitá-la na Cidade do México. Para dar um tempo, explicou Lolly, um descanso de ser filha deles.

June folheia o caderno e vê desenhos da imagem de Will

feitos à pena. Páginas e mais páginas de perfis, detalhes, seu nariz, seus olhos, sua clavícula. São desenhos amadorísticos, mas o que a impressiona é como são detalhados, como são minuciosos. Lolly sempre foi um pouco hiperativa e dispersiva, como o conteúdo abundante de seus cadernos atestava, mas obviamente vinha prestando muita atenção em Will. O olhar demorado necessário para criar tais desenhos é paciente, terno, íntimo, e June tem de se esforçar para não virar o rosto para outro lado. Sente uma pontada de inveja quando olha para um estudo do cabelo castanho e ondulado de Will, visto por trás. É, de longe, o desenho mais delicado e complexo. June folheia as imagens de Will e encontra uma página coberta de tinta preta. A princípio, parece um borrão recoberto de rabiscos — um mural nonsense de formas e linhas. Mas, quando vira o caderno de lado, fica claro que Lolly estava tentando criar uma imagem do oceano. Aves marinhas cruelmente esboçadas voam em ângulos estranhos, no vão de cinco centímetros entre a linha denteada do horizonte e a borda do papel. E, abaixo dos pássaros, se erguem ondas desenhadas com esmero, dentro das quais June consegue vislumbrar a forma de rostos, mãos, edifícios, um carro, um avião, olhos, árvores, uma porta. O efeito é hipnótico e ela começa a sentir-se tonta. Delicadamente, June fecha o caderno e o coloca sobre a cama, com os papeizinhos dobrados e os recortes sobressaindo para fora das bordas. Aqui está um novo remorso, ela reconhece. O que ela viu nas imagens de Will e, mais claramente ainda, nas ondas foi alguém tentando dar sentido ao mundo, recriando-o, refratando e complicando suas partes a fim de lhe conferir sentido. O que viu foi que Lolly era algo que ela jamais havia imaginado: uma artista. Talvez não uma grande artista — se é que uma grande arte pode ser apontada com precisão empírica —, mas alguém com uma alma artística, que precisava abstrair aquilo que a intrigava a fim de descobrir as respostas. E June não percebeu isso. Não importa que ela tivesse desperdiçado sua carreira identificando e fomentando esse mesmo instinto em seus clientes. Não importa que aquela fosse a única parte de sua vida em que ela não havia fracassado. Lolly era uma artista em busca de seu caminho e June não percebeu nada, nem de longe. Ela não sabia o que era pior, não ter percebido ou Lolly jamais ter compartilhado aquilo com ela.

A tonteira piora e June põe as mãos em cima da cama e se equilibra. Sentada, fica imóvel, de olhos fechados e com os pés apoiados com firmeza no chão. Espera que aquilo passe, o que, após alguns minutos, acontece. Por fim, ela se obriga a tirar o último caderno de dentro da bolsa de lona. Quando abre esse caderno, vê que não tem nada desenhado nem escrito em suas páginas, nada enfiado no meio. É novo, a lombada está intacta e as páginas, em branco. Ela fecha o caderno e vê, escrito na capa, em hidrográfica vermelha: *Grécia*.

June coloca o caderno sobre a cama, junto aos outros dois, e se deita. As pernas e os braços estão pesados, entorpecidos. A mente está embotada. Dormiu mais de doze horas na noite anterior, mas de repente está cansada outra vez. Movendo-se devagar, encolhe os joelhos junto ao peito e fecha os olhos.

Batem com força na porta. Ela não tem a menor ideia de quanto tempo passou. Nota que, enquanto dormia, empurrou os cadernos para fora da cama e boa parte do conteúdo dobrado e amassado escapuliu e se espalhou pelo chão de carpete fino. *Alô. Tem alguém aí dentro? O horário para liberar o quarto terminou faz duas horas.* Ela pisca os olhos a fim de compreender onde está. *Está bem, está bem, já vou*, responde, sem saber a quem nem por quê. Olha para os pés e vê um dos cadernos de capa para cima, aberto num desenho que não tinha visto antes. É um motel de praia, de um só andar, desenhado às pressas em tinta azul, com um letreiro na fachada, que diz THE MOONSTONE.

Na frente, há um escritório e uma fila de carros, toscamente desenhados; atrás do prédio, está rabiscada uma imagem imensamente exagerada de ondas na arrebentação, espirrando mar e espuma até o alto da página. June apanha o caderno do chão, põe no colo e vira a página. Escrita em azul, datada de 7 de julho de 2012, há uma carta. A primeira palavra é Mãe.

# Lydia

Ela está quente, sente a pele umedecer por baixo da roupa, e então, sem interromper os passos, sem reduzir o ritmo, tira o pulôver de lã e enrola no braço esquerdo. Está caminhando depressa. O ar frio contra o pescoço dá uma sensação boa. Ela respira fundo e enxuga o suor da testa. Lembra-se do dinheiro e confere mais uma vez, apalpando o bolso, para ter certeza de que não caiu. Setecentos dólares e o troco para os cinquenta que usara para pagar o café, na cafeteria. Ela nem consegue acreditar naquela soma, ou que ela tenha ido de carro até o Walmart em Torrington para pegar o cartão pré-pago que Winton pediu e que tenha, depois, mandado pelo correio. Graças a Deus que foi devolvido, pensa ela. Tem dinheiro bastante para viver, graças ao seguro de Luke e à venda da empresa dele, mas só se levar uma vida modesta, como tem feito. Esprime o bolinho de notas dentro do bolso e pensa, com um toque de alívio, que Winton disse que eles iam reembolsar o valor da taxa da loteria, e fizeram isso mesmo. Ela começa a se permitir imaginar que todo aquele esquema ridículo seja real. Não é tanto o dinheiro que a deixa excitada, mas sim a possibilidade de Winton estar dizendo a verdade, de que ele seja de fato o amigo que tentou se mostrar ser. Mas muitas coisas que ele diz não fazem sentido. Será que o reembolso do dinheiro da taxa da loteria não passa de um meio de fazer Lydia acreditar nele? Prepará-la para uma falcatrua maior ainda? Winton mencionou, de fato, alguns telefonemas antes, uma comissão que tinha de ser paga, mas disse para ela não se preocupar com isso agora, que não seria nada em comparação com o que ela ia embolsar. Lydia recapitula dúzias de incoerências nas histórias de Winton. Certa vez, quando ela o questionou a respeito do nome de sua ex-namorada, que mudava quase toda vez que ele falava do assunto, Winton respondeu: *Ah, srta. Lydia, eu não deveria ser tão pessoal assim com você. Eu enfeito um pouco alguns detalhes a fim de manter certa privacidade e proteger você, caso meus chefes descubram que chegamos a nos conhecer tão bem como nos conhecemos agora.* Isso foi só algumas noites antes, quando o dinheiro ainda não tinha chegado e ela estava começando a ficar preocupada. *Temos de ficar juntos, lado a lado, minha amiga, para vencermos este labirinto. Para você receber seu dinheiro e para eu deixar este emprego. Podemos ficar lado a lado?*, perguntou. E ela respondeu, depois de um breve silêncio: *Podemos.*

Talvez ele seja exatamente quem diz ser, pensa Lydia, enquanto acelera o passo. Talvez ele não seja o inimigo. Quando foi que ela teve razão sobre quem quer que fosse? Enganou-se a respeito de Earl e de Rex, e da maioria dos homens que apareceram entre um e outro. E se enganou também a respeito de June. Lembra como, a princípio, tinha certeza de que aquela mulher não traria nada de bom nem para ela nem para seu filho. Não conseguia entender o que podia querer dela uma nova-iorquina mimada, com rabo de cavalo louro e unhas tratadas com perfeição na manicure. E também não tinha o menor interesse em entender o que ela queria do seu filho. Lembra-se de ter dito a ela que fosse embora, que deixasse os dois em paz. Julgou-a antes de saber qualquer coisa a seu respeito. Será que também tinha julgado Winton com a mesma dureza? Será que ele podia estar, de fato, do lado dela? Afinal, ele passou quase três meses conversando com ela pelo telefone. Suas histórias viviam mudando, mas ele não parava de contar, contava aquelas histórias todo dia, de manhã e de noite. Ele não foi embora, ela se obriga a lembrar-se disso, quando passa pela loja de flores de Edith Tobin, algo que ela não pode dizer em favor de June.

Agora está escuro e tem alguém atrás dela. Ouviu passos, mas não quer parar, não quer se virar para trás. Está a apenas seis ou sete casas de seu prédio de apartamentos. Sua testa está porejada de suor e ela sente a calça jeans colada nas pernas. Aperta o pulôver de lã com as mãos contra o peito. Agora, só faltam cinco casas. Ouve um sapato raspar na calçada e algo — um graveto, uma pedrinha — bate na parte de trás de sua canela. Tem alguém bem atrás dela. Lydia para, dá meia-volta e, antes que possa ver quem está ali, explode *LARGA DO MEU PÉ!* Parado a menos de meio metro dela, está um rapaz de blusa de moletom verde, com capuz. De perto, ela tem certeza de que é o filho de Kathleen Riley. Os mesmos olhos verdes. Os mesmos lábios finos. Ele olha direto para Lydia e depois desvia os olhos, por cima de seu ombro. Ele começa a falar algo: *Eu... hum... conheço você...* mas se interrompe e avança correndo pela calçada, na direção do fim da parte alta da Main Street e some.

O sangue de Lydia pulsa em disparada e ela faz toda a força para controlar a respiração. Confere o dinheiro no bolso do pulôver de lã e fica aliviada ao sentir que ele continua ali. Aperta o passo para vencer a curta distância até seu prédio e se atrapalha com as chaves. As mãos estão tremendo. Assim que abre a porta e fecha depois de entrar, ouve-se imediatamente uma batida forte no vidro. *BAM BAM BAM.* O rapaz, pensa Lydia, ele a seguiu até sua casa. Ela empurra todo o peso do corpo contra a porta, enquanto se atrapalha para trancar o ferrolho. *PARE! PARE COM ISSO!*, grita, as mãos pegajosas de suor, a adrenalina disparando por seu corpo como relâmpagos. *O QUE VOCÊ QUER DE MIM?* Seus joelhos se dobraram junto à porta. Ela não consegue se manter de pé. Como nos pesadelos da infância, ela perdeu a capacidade de se mexer. As batidas se repetem e ela rasteja desajeitadamente para longe da porta. Porém, quando se afasta o bastante para poder olhar para trás, vê que não é o rapaz. É uma mulher com um bebê amarrado no peito, numa espécie de bolsa de pano. Lydia fecha os olhos e respira. Pede à mulher que espere um momento, consegue se pôr de pé e caminha até a cozinha para enxugar o suor do rosto. Quando a respiração volta ao normal e o coração se acalma, ela abre a porta. *Desculpe*, explica. *Pensei que fosse outra pessoa.* Mas a mulher não se mexe. É jovem, de pele bronzeada, cabelo curto e escuro e vincos profundos dos lados da boca e em volta dos olhos. Quando a porta é aberta de todo, ela avança e, com a mão livre, dá um tapa violento na face direita de Lydia. *ISSO é pelo meu pai!*, grita. Leva o braço para trás, a fim de dar outro tapa, mas recua e sai pela porta do prédio. Parece estar tão nervosa quanto enfurecida. *Não sei quem você é, mas se não me der o dinheiro que meu pai lhe mandou, vou chamar a polícia e mandar prender você. E não negue... Sei quem você é e sei, pelo endereço que aqueles monstros na Jamaica deram para ele, que foi para você que ele mandou o dinheiro. Vocês estão destruindo meu pai... Ele é um velho solitário e é nojento que vocês ataquem uma presa fácil como ele. Na verdade ele acredita que existem milhões de dólares guardados em nome dele em algum lugar! Ele acredita mesmo que vocês são os protetores dele!* Chocada, Lydia mete a mão no bolso, os dedos trêmulos, a mente ainda processando o que acabou de ouvir.

Quem quer que seja o pai daquela mulher, também deve ter caído na falcatrua de Winton, pensa ela, enquanto entrega à mulher os setecentos dólares, junto com a pilha de notas de vinte, de cinco e de um. Ele deve ter acreditado, como ela acreditou, que estava pagando a taxa para poder receber o grande prêmio. E aquela mulher, filha dele, a confundiu com um membro da quadrilha, sem entender que era alguém na mesma situação do pai. Uma presa fácil, solitária, alguém disposto a acreditar em mentiras e que desperdiça dinheiro a fim de não ficar sozinho. A mulher se inclina para a frente, agarra o dinheiro da mão de Lydia e enfia nos bolsos de sua calça de veludo. O bebê, que até agora ficou em silêncio, começa a chorar. Se é menino ou menina, Lydia não pode saber, mas o choro se torna um berreiro — gritos prementes, esganiçados, como se alguém estivesse beliscando a pele do bebê. Mãos miúdas, vermelhas e desesperadas, se estendem para fora da trouxa amarela, aninhada junto ao peito da mulher. *Você tem de parar o que está fazendo*, diz ela a sério, esquecida da criança, que parece à beira de explodir. Encara Lydia bem nos olhos por mais um tempo e, quando fecha a porta com força, fala, bem sério: *Você tem de parar com isso*. O silêncio que se segue é completo. Não há nenhum som no apartamento. Nenhum carro passa, ninguém grita, em nenhum lugar. Lydia fica parada junto à porta, tranca a fechadura e se encosta na parede. O telefone toca e ela deixa tocar. Ele para de tocar por alguns minutos e depois recomeça, e aquilo se repete durante mais de uma hora. Por fim, ela atravessa a sala, vai para a cozinha e espera. Depois de um minuto, o telefone toca de novo e ela atende. É Winton, é claro. Diz o nome dela, uma vez e de novo, mas ela não fala nada. Lydia não está brincando de hesitar. Ela não tem palavras. O rapaz na calçada, o tapa, o bebê aos berros. O choque a deixou muda. Winton fala de novo. *Lydia, volte à Terra. Volte para cá, para a mãe Terra.* Ela já ouviu aquelas palavras antes. *Quem foi que disse aquilo para ela? Rex.* O último homem a quem chamou de namorado. *Volte para a Terra, cadete do espaço,* ele dizia. *Aterrisse, astronauta.* Quem mais, senão o Rex? Ela ainda consegue sentir a pontada dolorosa do tapa da mulher no seu rosto, e também de algo que sua mãe dizia quando ficava com raiva. *Um dia alguém ainda vai enfiar um pouco de juízo na sua cabeça.* Não é uma lembrança feliz; sua mãe só falava assim quando ficava com raiva ou estava embriagada, mas algo naquilo faz Lydia rir. Ela imagina a mãe à mesa da cozinha, brandindo o dedo em riste, bebendo sua schnapps, bufando suas advertências. Lydia não pode deixar de rir.

*Lydia? Você está aí?* Winton. Por um momento, ela esqueceu que ele estava ao telefone. *Minha querida Lydia,* diz ele, *minha querida, o que há de errado?* Ela ouve o tom preocupado da voz dele, a maneira especialmente cuidadosa de falar, mas aquilo não a tranquiliza. Ele continua a falar seu nome, perguntar qual é o problema, o que ela tem. *Essa voz,* pensa Lydia, e ri de novo. *Mandei dinheiro pelo correio para alguém que não conheço e fui atacada dentro de minha própria casa. Por uma voz. A voz de um estranho.*

*Diga o que é que você tem, qual é o problema,* a voz arrulha. *Me diz.* De novo, ela pensa em Rex. O último homem que mentiu para ela tanto quanto Winton, pensa, o último homem como ele que teve o poder de obrigá-la a fazer coisas que ela sabia que eram erradas. De novo, ela fica calada. Depois de um demorado silêncio, Winton fala de novo, e com delicadeza: *Me diz qual é o problema.*

*Quer mesmo saber?,* ela pergunta, sentindo, contra sua própria vontade, o desejo de contar para ele sua tarde doida. Segura o fone encostado na orelha e entende que, além de Winton, não há mais ninguém a quem possa contar aquilo — o rapaz que a seguiu até em casa, a mulher enraivecida que deu um tapa na

169

sua cara, tudo. Lydia se inclina para a frente e larga o fone no colo. A voz em suas mãos é tudo que ela tem e não é nada. Ela balança o corpo de leve e gostaria de desaparecer. Sente-se mais sozinha, agora, do que nas semanas seguintes à morte de Luke. Depois de um tempo, ouve a voz de Winton que vem do fone. Ela encosta o fone na orelha e ouve o homem recitando para si mesmo, quase cantando: *Ah, srta. Lydia, aonde você foi? O que você fez e onde você está? Volte para mim, senhorita.*

*Estou aqui*, ela sussurra. *Nunca fui para lugar nenhum. Estou no mesmo lugar onde sempre estive.*

A voz de Winton se reduz a um sussurro. *Me conte uma história, minha querida Lydia. Tire um peso da alma. Me conte a verdade, porque isso vai libertar você.*

Lydia ouve a batida de passos no apartamento de cima. Ouve seu vizinho do andar superior caminhar pela cozinha, abrir a porta da geladeira e fechar, de leve. Ouve o estalo de uma cerveja sendo aberta e o ruído da tampinha jogada na pia. Lydia senta com as costas eretas, apoiadas no espaldar da cadeira de madeira. Quando fala, sua voz arranha na garganta. *Vou lhe contar uma história, Winton. Sobre o lugar onde eu sempre estive.*

# Lolly

**Mãe,**

Estou escrevendo pra você do fim do mundo. Dá mesmo a sensação de que estamos num lugar entre a terra e o céu, aqui na praia em Moclips. Chegamos ao hotel duas noites depois de viajar de carro durante quatro dias seguidos, desde Nova York. Você acredita que fomos forçados a parar no acostamento em Nova Jersey, na rodovia 3? Passamos por um posto de controle em alta velocidade e, pimba, uma multa de cento e vinte e cinco dólares por excesso de velocidade. Tenho certeza de que o guarda viu a placa de Washington do carro de Will e disse: vamos pegar esse cara. De todo modo, a gente achou que aquilo era um mau sinal para a nossa viagem, mas, em vez disso, todos os momentos depois foram maravilhosos, como se a gente tivesse uma estrela da sorte nos guiando por todo o caminho. Mesmo quando a gente se perdeu na Pensilvânia, a estrela nos levou para a cidadezinha mais linda que existe, habitada quase que só pelos **amish**. Não pode haver pessoas mais gentis. Ouvimos falar de um grupo de adolescentes que capotaram com o carro — garotos **amish** que tomam um porre e aprontam mil e uma no ano de purgatório entre o ensino médio e o casamento. A cidade inteira parecia tomada pela morte daqueles garotos. Dava a sensação de que, se a gente pudesse olhar com toda a atenção, veria cada um deles no lugar onde tinha estado antes. É esquisito dizer, mas dá até a impressão de que eu os conheço um pouco. Falavam tanto sobre eles. Aquela cidade era muito triste, mas também foi muito bonito ver uma comunidade em que as pessoas precisam tanto umas das outras. E a fé delas. Nunca acreditei em Deus, mas dá para entender como ter uma fé ajuda depois de uma tragédia como a que elas viveram.

Você nem pode imaginar quantas estrelas enchem o céu aqui. Tem umas que brilham mais do que a lua. Ou o barulho do vento e das ondas quebrando. É como se trens de carga estivessem passando na frente da janela. Não assusta, porque, por algum motivo, este quarto simples no fim do mundo dá a sensação de ser o lugar mais seguro em que já estive.

Sei que estou divagando muito, mãe, mas é que estou naquele clima, como diria o papai. Depois de atravessar o país, vim parar aqui, onde o Will foi criado — agora eu entendo por que era tão importante para ele me mostrar — e ainda mais tem esse vento doído, que me faz pensar. É engraçado pensar que o vento tem um formato, mas tem, sim. Ele se torna visível de vez em quando — quando a chuva é arrastada para a terra em lençóis, ou quando a gente vê a neve sobre os campos atrás da nossa casa. Me lembro de olhar para fora pela janela do meu quarto, no inverno, e observar o vento soprar na superfície dos campos brancos, levantando e varrendo a neve em espirais, e num estalo a gente consegue ver como a força que esteve sempre ali ganha vida e se revela. Acho que é assim com os filhos e os pais. Eles estão sempre presentes e de repente, por causa de algum choque ou decepção ou gesto importante ou ausência, o filho vê aquela pessoa que esteve sempre presente, o tempo todo — invisível para ele, a não ser na sua função de provedor. É o que aconteceu comigo em relação a você, só vi você de verdade quando deixou o papai, e não gostei do que eu vi. Não consegui entender como pôde deixá-lo depois de tantos anos juntos. Como pôde escolher sua carreira, em detrimento de nós dois? E eu ainda não compreendo, para ser honesta de verdade. Mas só nos últimos tempos consegui perceber que aquilo que posso ou não posso ver não importa. Não tenho o direito de dizer com quem você vai ficar ou não, e nem é meu direito saber disso. Com Luke na sua vida, agora, você de fato ficou mais bem definida para mim enquanto mulher, assim como eu, com o cardápio completo de vontades e desejos, como todas nós. Não quero dizer que isso foi divertido e que não foi constrangedor. Tenho vergonha de confessar que foi os dois. Mas balançou bastante as coisas. Desculpe não ter aceitado seu convite para me encontrar com vocês em Nova York. Eu não queria que ele ofuscasse Will. E, para ser bem sincera, acho que eu estava preocupada com a maneira como eu ia reagir e não queria que Will me visse fora do controle.

Por falar em controle, acho que papai também está ficando mais bem definido para mim. Faz tempo que sei de sua desesperada promiscuidade. Isso sempre me deixou triste, mas é uma coisa pela qual eu nunca o responsabilizei. Eu punha a culpa em você, como fiz em muitas outras coisas. Nunca passou pela minha cabeça, até pouco tempo atrás, que talvez o jeito infantil do papai com as mulheres tenha antecedido a decisão que você tomou de sair de casa e que uma coisa, muito provavelmente, tinha tudo a ver com a outra. Não consigo acreditar que isso nunca tenha passado pela minha cabeça antes, de verdade. Também não posso alegar que cheguei a algumas dessas ideias por minha própria conta. No início de minha relação com o Will, ele me disse que seria uma boa ideia questionar tudo o que eu achava que sabia a respeito do papai, de você, de seu casamento, de minha infância, de mim mesma, até. Na verdade, ele sugeriu que toda vez que eu fosse resistente a uma opinião discordante a respeito de qualquer coisa, eu deveria pôr essa opinião à prova. No caso, acho que ele estava falando de política, pois ele é muito mais solidário ao nosso presidente do que eu. Mesmo assim, é muito difícil abrir a cortina e deixar à mostra as histórias e opiniões antigas. Agora, já faz algum tempo que venho fazendo isso e é humilhante ver as coisas mais como elas eram de fato e menos como eu tive a impressão de que fossem ao longo dos anos. O que estou tentando dizer é que venho pressionando você já faz um bom tempo por não fazer as escolhas que eu queria que fizesse e, enquanto Will ronca do meu lado, agora, e antes que o sol nasça, daqui a algumas horas, eu só queria que você soubesse que agora vejo as coisas com um pouco mais de clareza e espero que você possa me perdoar por não ter sido capaz de fazer isso antes. Ainda fico furiosa quando penso no jeito como você saiu de casa e em como tomou todas aquelas decisões sem me consultar. Simplesmente anunciou a nova ordem das coisas, como se nada daquilo tivesse a ver comigo. Será que você pode imaginar como eu me senti aos catorze anos? Ou como me senti solitária depois que você partiu? Será que você chegou a pensar em mim quando tomou todas aquelas decisões? Será que em algum momento você pensou em como eu ia sentir sua falta?

 Pronto. Lá vou eu, de novo. Basta uma coisa à toa para tudo voltar. Mas imagino que seja por isso mesmo que estou escrevendo para você agora. Para ser totalmente sincera, é uma coisa que o Will me sugeriu fazer. Escrever para você, sem me preocupar se você vai ler as palavras. Só para dizer o que sinto, sem correr o risco de ser tolhida por qualquer coisa. Ele me disse para fazer isso meses atrás, mas toda vez que eu tentava, não conseguia. Esta noite, porém, a sensação é diferente. Tem alguma coisa aqui, neste lugar. E Will. Eu quero ter com você o que ele tem com os pais dele. Com Will, as coisas são tão sem complicação! Ele apenas ama os pais e é tão simples e tão afetuosa a relação entre eles. Eu quero isso, mas não sei como alcançar. Dá a impressão de que, se eu apenas inocentasse você de tudo, estaria traindo a mim mesma. Ou a pessoa que eu era. E é isso que me faz parar. Mas, quando eu e Will formos morar juntos, tenho a impressão de que vai ser mais fácil me desfazer de algumas coisas a que estou muito apegada.

O que quero dizer é que não quero voltar nem ficar estacionada no jeito como as coisas têm sido entre nós. Tudo parece tão delicado e breve e não quero que fiquemos mais separadas. Não sei como dizer nada disso para você, e é por isso que estou escrevendo aqui. Espero que um dia eu lhe entregue esta carta.

Com amor,<br>
Lolly

# Silas

Ele está pedalando o mais depressa que pode para fora da cidade, rumo à sua casa. Não consegue se desvencilhar do olhar apavorado que viu no rosto dela, da sua voz berrando. Muitas vezes imaginou um encontro entre os dois, mas nem uma vez do jeito como aconteceu nessa noite. Quando ele imaginava o encontro, ela se mostrava afetuosa, consoladora, abraçava-o em seu peito largo e afagava sua cabeça. Ele a imaginava sem roupa, beijando o peito dele, segurando seu pau. Ele também a imaginou cortando seu pau, para castigá-lo, e jogando nas águas do Indian Pond. Imaginou Lydia Morey de todas as maneiras, mas nunca da forma como a viu nessa noite. Ela estava apavorada e, talvez, numa das fantasias de Silas, aquilo o deixaria excitado, mas dessa vez foi exatamente o contrário. Deixou-o confuso. Mostrou Lydia para além das versões limitadas que ele vinha elaborando. Não era solitária nem indignada nem sensual nem angustiada. Era humana. E isso é muito mais do que ele consegue suportar.

Sai da Tate Lane e desce por uma estrada de terra. Quando já está fora de vista para os carros que passam, ele desce da bicicleta com um pulo e deixa que ela bata com força no chão. Solta a mochila por cima dos ombros e mal dá para perceber a lona amarela. Ele não consegue enxergar as mãos ou os dedos com clareza, mas conhece as superfícies e as formas de suas coisas: pote de plástico, fornilho, garrafa de água, *bong* e isqueiro. Enrola um baseado malfeito e acende. Fuma até o fim e, rapidamente, enrola e acende mais um. A maconha é uma mistura do fumo velho do Charlie com uns brotos novos que ele roubou de um vizinho que esconde seus pés de maconha muito mal, na última fileira da horta de sua casa. É um tipo forte e ele logo sente que uma película espessa se ergue entre esse momento e as últimas horas. Agora, vê tudo isso de forma nebulosa, como se olhasse através de um globo de vidro que imita uma nevasca, e se sente grato por isso. Encosta-se numa árvore e vê o rosto de Lydia outra vez. Agora, consegue diminuir a velocidade do incidente e observar as sobrancelhas dela erguidas, a boca aberta enquanto grita com ele. Está cobrindo o peito com o casaco, mas agora que Silas tem a cena sob seu controle, faz que ela o deixe cair e ele olhe para dentro do decote profundo da camiseta quando ela agacha para pegar o casaco. Agora a camiseta está suada e encharcada e, através do pano transparente, ele enxerga a pele rosada, os mamilos escuros e largos. A visão o relaxa, o ajuda a livrar-se dos sentimentos de antes. Guarda a maconha, fecha o zíper da mochila e joga-a por cima do ombro. Empurra a bicicleta de volta para a Tate Lane. Acima dele, a lua está quase cheia e brilha cor-de-rosa na noite fria. Nuvens finas se deslocam lentamente pelo céu e, na superfície da lua, ele começa a vislumbrar um rosto. De início, é uma máscara grosseira com sobrancelhas desiguais e costeletas enviesadas, a boca e o nariz desfigurados e enormes. Depois, ganha vida. Ele conhece aquele rosto. É o dragão que ele viu no mês de maio a caminho de casa, ao voltar da casa de June Reid. Naquele momento, suas asas rubras e a cauda interminável enchiam o céu, mas agora estão invisíveis, encobertas pela noite negro-azulada. Só o focinho, os olhos diabólicos e a fumaça que jorrava da garganta estão visíveis. É ele mesmo. Silas sabe que é uma alucinação, mesmo assim suas mãos tremem quando puxa a bicicleta para si. Quando monta no selim, ouve alguma coisa. Uma voz, um grunhido, o latido de um cão. Não consegue saber o que é. Mas naquele barulho ele ouve a palavra VAI com mais clareza e exatidão do que qualquer outra coisa que já ouviu. Começa a pedalar e olha para a lua. A cara do dragão está inteiramente definida: o focinho alto, a boca larga. Os olhos não se desviam dele. Silas olha para além da lua e começa a distinguir a silhueta de seu corpo colossal, as linhas de suas asas de morcego gravadas no céu. Ele está no meio da estrada, pedala devagar, olhando para cima e para trás ao mesmo tempo. Quando começa a enxergar as arestas da cauda épica do dragão, o guidão vira em suas mãos, o pneu dianteiro dá uma guinada para a esquerda e a bicicleta desaba na pista. Quando cai, batendo de lado no chão, Silas ouve um estalo embaixo de si, a frouxa arrumação do pote de plástico e do *bong* amortecem sua queda e em seguida ele ouve o *bong* se estilhaçar, e sente isso tão bem quanto escuta. Senta no meio da estrada, verifica braços e pernas para ver se ainda estão funcionando direito. Apalpa os flancos e os ombros para ter certeza de que os cacos de vidro não o perfuraram. Não consegue detectar nenhum ferimento grave, mas esfolou a pele na palma das mãos e a carne exposta começa a arder. Sentado no meio da estrada, ele se atreve a olhar para cima e, não há dúvida, o dragão está sorrindo direto para ele, achando graça. Que merda é essa? O que é?, grita ele, meio chorando, de frustração e de medo. *VAI? Para onde? PARA ONDE EU TENHO DE IR?*

Está cobrando respostas de uma composição mágica feita de nuvem, noite e lua, mas ele sabe aonde tem de ir. Não volta lá desde maio, quando correu pelo gramado e subiu pela entrada de carros até a estrada. *Merda*, resmunga, puxando a bicicleta para fora da estrada e esfregando os pedacinhos de asfalto que se enfiaram nos cortes das mãos. Pedala na direção de casa, mas passa por Wildey Road, onde ele mora, e segue em frente pela Indian Pond Road. Recusa-se a olhar para o alto, para o céu da noite, até chegar lá, e quando passa pelo lago, pode ver o desenho de linhas azuis, cinzentas e pretas que se reflete na água. Não consegue deixar de olhar, e o desenho caleidoscópico que rebrilha ali é, ao mesmo tempo, belo e agourento. Luzes que se aproximam pela estrada quebram o encanto e ele diminui a velocidade da bicicleta, até o carro passar. Nessa altura, ele já deixou a igreja para trás e dali a pouco está no alto da entrada do jardim da casa.

# June

Agora ela sabe onde isso vai terminar. Onde a terra se esgota e só existe mar, e entre os dois, só existe um quarto. As páginas da carta estão enfiadas no caderno amarelo que está em cima dos outros dois cadernos, no banco do passageiro, a seu lado. No motel Super 8, ela lê de novo, palavra por palavra, e outra vez, até o gerente pedir para ela ir embora imediatamente ou pagar mais uma diária. A letra era familiar, incontestavelmente a letra de Lolly, mas as palavras não. Eram de alguém que ela só lembrava de forma muito vaga, alguém anterior ao momento em que ela e Adam contaram para Lolly que os dois iam se divorciar. Depois disso, Lolly nunca foi franca ou sincera ou afetuosa com June. Ela podia enxergar na carta a tentativa conflituosa de Lolly descrever um futuro que ela ainda teria de construir. Ela nunca chegou até lá, pensa June, recordando a fria troca de palavras com Luke, na varanda, na noite anterior ao casamento. Mas estava tentando. Aonde quer que tivesse chegado na hora em que morreu, já se encontrava muito mais perto do que June sabia. Ter a chance de vislumbrar isso agora era um milagre amargo, um carinho de fantasmas, que trazia mais remorso que consolo.

Quando cruza a divisa entre Idaho e o estado de Washington, June inspira o aroma de Lolly. Já havia aspirado aquilo antes, exalava das páginas, de forma tênue, o estranho perfume que tinha um cheiro igual ao chocolate quente que Will servia a ela durante o semestre que os dois passaram no México, e continuou a lhe dar, depois. June vasculhou o conteúdo da bolsa de Lolly e encontrou a garrafinha marrom e branca e borrifou em seus pulsos, de leve, e nas páginas, antes de enfiá-las dobradas no caderno e ir embora do motel Super 8. O cheiro de cacau e canela enche o carro. Como ela pôde deixar que se formasse uma distância tão grande entre elas?

Ouve a voz de Luke, berrando, como uma resposta: *Meu Deus, June, jogue!* Ele está se afastando dela depressa, no gramado atrás da casa. *Jogue! Jogue!* Grita para June, enquanto ela aperta a beirada plástica e dura do *frisbee* nas mãos. *Do que é que você tem medo?*, diz ele, agora parado, de braços cruzados no peito. Era o segundo verão, o verão seguinte à mudança de Luke para a casa de June, e ele insistiu para os dois saírem e jogarem *frisbee*. Eles se afastaram bastante, até o gramado, mesmo assim havia algo em June que não queria lançar o disco. Não consegue lembrar o que era — a infantilidade do jogo? O fato de ele ter pedido algo, exigido, e ela ter o poder de recusar? Depois de um intervalo, ele se afastou, frio e frustrado. Houve momentos como esse, em que ela não conseguia ser o que ele queria e, mesmo assim, ele insistia. Era como um jogo da covardia, em que cada um testa até onde vai a coragem do outro, e ela sempre ganhava. Nunca hesitava e, como aconteceu no caso do *frisbee*, ele ia embora, enfurecido. Exatamente como Lolly tinha feito tantas vezes. June lembra como aquele *frisbee* amarelo ficou caído no gramado, no mesmo lugar, durante semanas, nenhum dos dois se mostrou disposto a pegar de volta. Luke chegou a cortar a grama em volta do objeto e deixou um tufo espesso de grama crescer, num círculo irregular, onde estava o *frisbee*. Ele nunca falou do assunto; nem ela. E então, um dia, o *frisbee* sumiu.

A mão direita de June se desprende do volante e pousa no caderno a seu lado. Seus dedos roçam a superfície gasta da capa e depois ela o puxa para o colo, onde o deixa ficar. Inspira o perfume de Lolly e relaxa o pé no pedal do acelerador. Toma cuidado para manter exatamente a velocidade limite, pois não quer que nada a impeça de chegar a Moonstone. Se só parar para reabastecer, vai chegar lá antes do anoitecer. Não há motivo para correr, a não ser o sentimento que experimenta desde o momento em que leu a carta: ela precisa ver aquele quarto por dentro, ouvir o vento uivando e as ondas quebrando, como Lolly descreveu, ver as mesmas estrelas e a mesma lua, respirar o mesmo ar salgado. Não é em direção a sua filha que ela está viajando, mas é o mais perto dela que vai conseguir chegar.

Faltam horas de viagem. Ela vai dirigir até a estrada acabar e vai achar aquele quarto e vai ficar lá.

# Dale

Nosso plano era esperar um ano antes de viajar de Portland para Moclips com as cinzas de Will, mas depois do primeiro dia ameno em fevereiro, quando as chuvas frias diminuíram e o alívio da primavera já estava, senão perto, pelo menos imaginável, Mimi disse que tinha chegado a hora. Liguei para o Moonstone e perguntei se o quarto 6 estava vago para o fim de semana seguinte, e a mulher que atendeu disse que não estava e que provavelmente não ficaria vago por muito tempo. Uma pessoa tinha se hospedado naquele quarto no início de julho e nunca mais saiu. Achei aquilo estranho, pois o Moonstone dificilmente pode ser considerado o tipo de lugar que alguém queira chamar de seu lar, mas também fiquei decepcionado, pois o quarto 6 tinha grande importância para o Will. Foi onde ele propôs casamento a Lolly e onde ele se hospedou quando voltou, para comparecer ao enterro de Joseph Chenois. Seria bonito ficar no quarto 6, ver o que Will viu durante aquelas viagens para Moclips, mas não era esse o motivo de nossa viagem para lá.

Will nunca nos contou onde queria ser enterrado ou onde

queria que espalhássemos suas cinzas — por que faria isso, aos vinte e três anos de idade? —, mas nós sabíamos. Um trecho de praia, menos de oitocentos metros, se abre entre o Moonstone e a reserva dos Quinault, de um lado o oceano e do outro, a casinha cinzenta onde ele foi criado e morava conosco. Não existia lugar que ele mais amasse. Não havia lugar onde ele se sentisse mais seguro. Era seu lar e nos dava certo conforto pensar que ele estava ali. Portanto, pela primeira vez desde quando moramos lá como uma família, voltamos para Moclips.

Quando chegamos ao Moonstone, a caminhonete preta e empoeirada, estacionada junto à lixeira, parecia que não andava havia anos. Mal dava para enxergar a placa azul embaixo da porta do bagageiro, mas percebemos na mesma hora que era de Connecticut e entendemos que era o carro de June. Meu primeiro instinto foi parar o carro, passar para a marcha a ré e ir embora. Dava a impressão de que tínhamos topado com algo pessoal demais para nos intrometermos. Como era o lugar onde Will e Lolly ficaram noivos, deduzi que June tinha vindo para se aproximar da filha, assim como nós viemos para ficar perto de nosso filho. Sem saber o que fazer, estacionamos ao lado do escritório e ficamos calados, dentro do carro, por muito tempo. Enfim, Mike e Pru disseram que estávamos sendo ridículos e que talvez nem fosse a caminhonete de June. Então entramos na recepção, encontramos as novas proprietárias e recebemos chaves de dois quartos. O 5 e o 7, os dois quartos que restavam e, obviamente, um de cada lado do 6. Nenhum de nós falou para Rebecca e para Kelly que conhecíamos June. Nem mesmo quando Kelly pediu desculpas, de novo, pelo quarto 6 não estar disponível. Não decidimos agir assim quando estávamos no carro nem mesmo fizemos gestos um para o outro com essa intenção quando estávamos na recepção; foi simplesmente algo que todos compreendemos. Se ela estivesse ali, nós a deixaríamos em paz, o máximo possível. Se bem que, em vista das providências que ela havia tomado para nos evitar, a nós e a todo mundo, era difícil imaginar que ia ficar ali quando soubesse que tínhamos chegado.

Não sei por que nem como, mas durante todos aqueles meses em que June não atendeu nossos telefonemas ou nos ligou de volta nem respondeu às cartas que enviamos aos cuidados de seu advogado em Nova York, eu sabia que ela estava bem. Mimi se perguntava se não devíamos fazer um esforço maior para localizá-la: ligar para os artistas que ela representava, interrogar o advogado, procurar os parentes, embora não houvesse nenhuma referência a tios ou tias ou primos. Algumas semanas depois do Natal, liguei para o serviço de informações e perguntei qual o número do telefone de Lydia Morey, e obtive na mesma hora. Não sabia para quem mais telefonar e, de início, talvez por causa das conjecturas de que seu filho, Luke, podia ter algo a ver com o acidente, deixei o assunto de lado. Porém, ela era a única pessoa que conhecíamos, naquela cidade, que poderia ter alguma informação sobre o paradeiro de June. Além do mais, a não ser por Luke, June estava longe de ser uma pessoa com muitas relações sociais. Não tinha amigos que soubéssemos ser muito ligados a ela. Havia largado o emprego numa galeria de arte em Londres anos antes e qualquer vida profissional que tivesse era invisível para nós. Por intermédio de algumas pessoas que apareceram na igreja naquela manhã e pelas fotos nas estantes e nas paredes da casa de June, parecia que sua vida tinha sido ativa e muito povoada, mas também parecia que ninguém, senão Luke, estivera presente por um tempo mais longo. Inclusive, infelizmente, a filha, que, segundo Will e pelo que pudemos ver nós mesmos, se mantinha distante na maior parte do tempo. Por isso, talvez não seja de admirar que Lolly tenha se apegado à nossa família. Muitas vezes Will brincava dizendo que ela havia se ligado a ele só para ficar conosco. E é verdade, notei como às vezes ela ficava olhando para Will com Mimi ou com Pru e Mike. Olhava para eles como se estivesse com o nariz encostado no vidro de um aquário, observando peixes exóticos que se moviam dentro da água, ou como um cientista observaria morcegos raros em seu ambiente natural. Quando a conhecemos, na Cidade do México, ela nos disse que seus pais não sabiam como se faz e, quando perguntamos como se faz o quê, ela respondeu: *Tudo*. Era triste ouvir uma filha falar com tanta franqueza e severidade sobre os pais e, por um tempo, Mimi ficou preocupada achando que Lolly talvez fosse depreciativa demais, dura e negativa demais para Will. Eu também fiquei preocupado, mas era muito evidente que Will estava apaixonado e eu sabia que não se podia fazer nada quando uma pessoa se sentia assim em relação a outra, sobretudo o nosso filho. Lolly era diferente, sem dúvida, no aspecto autocentrado e egoísta, mas no fundo era boa e adorava Will, e nós não podíamos fazer nada, por isso a aceitamos. Acho que Will percebia que, apesar da maneira juvenil de Lolly, havia algo desajustado dentro dela. Mimi diz que as feridas podem cantar uma canção sedutora e, para Will — que desde a infância se sentia compelido a consertar e ajudar e cuidar de quase tudo e todos que cruzassem seu caminho —, a canção de Lolly era irresistível.

Fora da questão da sua família, Lolly era mais leve e mais aberta, por isso tendíamos a evitar esse assunto, e assim, quando finalmente conhecemos Adam, e depois June e Luke, sabíamos pouco a respeito deles. Mimi e eu havíamos deduzido que o relacionamento entre June e Adam era difícil. Ele tinha várias namoradas que Lolly não respeitava; e quando June começou seu relacionamento com Luke, de início Lolly se recusou a aceitá-lo e, no geral, evitava a mãe. Ela conversou com Pru sobre isso na semana anterior ao casamento e, é claro, com Will, mas não sei de verdade o que havia entre Lolly e a mãe. Estava claro que as duas tinham muitas coisas para resolver e, segundo Pru, entre as muitas coisas tristes que havia no que aconteceu, está o fato de que, justamente naqueles meses que antecederam o casamento, as duas estavam apenas começando a se aproximar.

Quando conversei com Lydia em janeiro, ela me contou que June tinha partido no início do verão e que, desde o enterro, não a tinha visto nem sabia nada a respeito dela. Lydia disse que o que restou da casa fora demolido e que agora uma corrente barrava a entrada de carros na estrada. Lydia deu essas notícias de maneira impassível, como se tivesse muito pouco a ver com aquilo ou com June, o que me deixou surpreso, pois as duas, pelo que pude ver, nos poucos dias anteriores ao casamento, pareciam bem próximas. No jantar na véspera do casamento, June arrumou o cabelo de Lydia e as duas trocaram risinhos discretos, como velhas amigas. Ainda consigo vê-las, lado a lado, conversando na igreja, no gramado, na pia, na varanda. Lembro-me das duas juntas mais do que separadas. Formavam uma dupla curiosa, muito diferentes, em aspectos superficiais — uma, refinada e loura; a outra, natural, de cabelo preto e comprido, que escorria por todo lado; uma, ponderada e estoica; a outra, mais carente, menos segura. No entanto, eram iguaizinhas na maneira como tratavam os filhos: formais e tímidas, cuidadosas, como se tivessem acabado de conhecê-los. Mas, entre si, pareciam relaxadas, espontâneas. Portanto, ouvir Lydia falar sobre June de maneira tão distante foi uma surpresa, porém depois me lembrei de June no enterro e nos dias anteriores. Ela não falava. Nem conosco nem com Lydia nem com ninguém. Lembro como dava as costas para todos nós e se afastava quando lhe dizíamos alguma coisa, e quando alguém a abraçava, ficava dura, imóvel, as mãos para baixo, nos lados do corpo, até terminar o abraço. Nós procuramos nos aproximar da melhor maneira possível, mas estávamos em choque e, instintivamente, cerrávamos fileiras entre nós mesmos. Estávamos com a cabeça perturbada e longe de nosso lar. Nosso filho tinha partido.

Logo começaram a correr rumores de que Luke havia causado a explosão. No dia em que partimos de Wells, a mulher no balcão da recepção do motel Betsy nos disse que ela sempre soube que alguma coisa horrível ia acabar acontecendo quando lhe contaram que o filho de Lydia Hannafin havia se mudado para a casa de June Reid. *Só podia acabar mal*, ela disse, balançando a cabeça e parecendo maldosamente satisfeita. Nós quatro ficamos calados e saímos dali o mais depressa possível.

Optamos por acreditar que o que havia acontecido fora um terrível acidente, nada mais nada menos que isso. Qualquer pessoa que algum dia esteve naquela cozinha sabe que só pode ter sido uma coisa relativa ao fogão. Parecia uma peça saída da era da Grande Depressão. Branco, enferrujado, todo inclinado. Lembro que, na tarde da véspera do casamento, vi June mexendo num dos queimadores para ferver a água do chá e ficou resmungando porque a boca demorou a acender. Se for para culpar alguém, que seja June. Ela devia ter tomado o cuidado de substituir aquele aparelho traiçoeiro. Estava na cara que não era seguro. June tinha os recursos, e o resto da propriedade estava muito bem cuidado, até de forma meticulosa. Procuro não pensar nisso, mas às vezes me pego tentando entender como é que ela pôde ter deixado passar logo o fogão. Como pôde ser tão descuidada? Saber que June deve se torturar com essas mesmas perguntas produz uma piedade que amortece, mas não elimina, a raiva que ainda sinto.

O que restou daquele fogão velho, da casa e de quaisquer pistas para saber o que de fato causou a explosão foi destruído um dia depois do acidente, demolido por escavadeiras de terraplanagem e transportado para longe em caminhões da prefeitura, embora ninguém saiba o motivo. Nossa família tem certeza de que Luke não teve intenção de fazer mal a ninguém. Era um homem decente e, apesar das tensões que havia na casa naquela noite e mesmo nos dias anteriores, ele não tinha nada de assassino. Se aconteceu devido a algum descuido de sua parte, o rapaz pagou muito caro, e que Deus proteja sua alma atormentada. O tempo que passou na prisão e o fato de ser negro faziam dele um bode expiatório fácil naquela cidade, algo que está longe de se poder chamar racialmente discrepante. Will, que tinha planos de ser defensor público em comunidades que não contavam com uma representação adequada, ficaria horrorizado ao ver a rapidez com que logo apontaram o dedo para Luke. Portanto, com tanta coisa desconhecida, nossa família preferiu seguir a orientação de Will e pôr de lado quaisquer teorias de culpa. Isso não significa que não sofremos; sofremos, sim. E tampouco significa que encontramos a paz.

Depois que voltamos para Portland, houve um período em que Mike ficou sem falar conosco por não termos reivindicado mais investigações logo depois do acidente. Ele queria de todo jeito que contratássemos um advogado para processar o corpo de bombeiros, ou a prefeitura, não lembro agora exatamente quem ele tinha na alça de mira. Talvez devêssemos ter feito isso. Mas quando questiono nossa opção de deixar de lado o assunto, me dou conta de que, qualquer castigo que pudéssemos ter desferido contra os atabalhoados funcionários da pequena prefeitura responsáveis por destruir nossa chance de obter respostas, ou mesmo que, por meio de uma demonstração de força ou determinação, ou graças à sorte, tivéssemos de fato descoberto o que aconteceu naquela noite, nada mudaria a horrível verdade: Will partiu. Nunca mais o veremos nem ouviremos e nunca mais estaremos com nosso maravilhoso filho.

Mike se recuperou, mas ainda não é fácil. Nós o vemos com

menos frequência, mas Mimi e eu sabemos que é só por enquanto. Pru pediu um afastamento temporário no curso de pós-graduação e se mudou para nossa casa. Seus amigos em Moclips e na faculdade telefonam e às vezes passam por aqui, mas ela vive no seu canto, lê romances que já leu antes, sentada à mesa da cozinha, até depois de meia-noite, e vai dormir tarde. Por enquanto, nos limitamos a lhe dar espaço e deixar que fique na dela. Mimi e eu continuamos a dar aulas — ela, na terceira série e eu, na quinta — e fazemos o que fizemos durante anos: incentivar e disciplinar, escrever na lousa o que precisa ser aprendido e ficar de olho, enquanto os jovens que estão por um breve tempo sob nossos cuidados passam em disparada em seu caminho para o mundo.

Agora falamos menos. Há viagens de carro e manhãs de domingo e refeições inteiras em que Mimi e eu não dizemos nenhuma palavra um para o outro. Não por raiva nem por castigo, mas aprendemos que a dor, às vezes, pode falar alto e, quando isso acontece, tentamos não erguer nossa voz acima da sua.

Tenho vergonha de lembrar que demoramos muito tempo para entrar em contato com Lydia. Fosse a razão boa ou não, nos mantivemos à distância de Lydia naqueles dias irreais, entre o que aconteceu e o enterro. Ela perdeu o filho da mesma forma que nós e, no entanto, não tínhamos nada para lhe dizer. Quando nos falamos, em janeiro, eu disse que lamentava termos passado tanto tempo sem nos falar e que ela esteve e continuaria a estar em nossas orações. Pedi a ela para nos avisar caso June aparecesse, e ela disse que sim, é claro, e eu prometi o mesmo. Permanecemos no telefone durante algumas respirações de um silêncio incômodo e em seguida nos despedimos.

Um mês depois, Mimi telefonou do Moonstone de novo para Lydia, mas a campainha ficou tocando e tocando, sem ninguém atender. Tentamos mais algumas vezes, mas o resultado era sempre o mesmo. Foi no dia seguinte à nossa chegada ao hotel que vimos June pela primeira vez. Era cedo e Mimi e eu já tínhamos levantado, tomado banho, e nos arrumávamos para dar uma caminhada pela praia e pelo bairro antigo. Na hora em que íamos sair do quarto, vimos June passar como um fantasma, na frente da nossa janela. Vestia a mesma roupa que usava no jantar da véspera do casamento e nos dias irreais que se seguiram. Foi só um momento, mas ela parecia a mesma, só que mais magra, menos animada. Não a vimos de novo até esta noite, logo depois que o sol se pôs. Nós quatro tínhamos caminhado até a beira do mar no pôr do sol para espalhar as cinzas de Will. O mar estava batendo com força e havia uma nuvem pesada, por isso não houve nenhum crepúsculo grandioso e solene, como esperávamos. Só a água gelada do mar, um céu cor de estanho e Pru, ajoelhada no mar, sacudindo o pequeno recipiente de cerâmica onde tínhamos guardado as cinzas de Will um ano inteiro. Quando a última cinza, enfim, havia desaparecido, Pru voltou para onde estávamos de pé, na areia. Formamos uma roda, com ela e Mike, nos abraçamos e choramos. Ficamos juntos por muito tempo. Nunca fui de ir à igreja, mas sempre acreditei numa inteligência criativa por trás do enigma permanente do mundo. A essa grande força, rezei pedindo para que guiasse a alma de Will, onde quer que ela estivesse, e para proteger minha família. A segunda prece foi egoísta. Lado a lado naquela praia, eu não conseguia suportar a ideia de perder nenhum deles. No entanto eu sabia que, um por um, perderíamos uns aos outros. A vida nunca me pareceu tão pródiga. Mike se soltou primeiro e nos puxou para longe da água, que estava subindo. Com relutância, me soltei também e começamos a fazer nosso caminho de volta ao hotel.

 Havia uma garoa nas rajadas de vento e, quando chegamos ao Moonstone, estávamos encharcados. A luz do quarto 6 estava acesa e, ao chegarmos perto do hotel, vimos Cissy sair pela porta, fechá-la e seguir direto para sua casa. Antes de a porta se fechar de todo, conseguimos ver June, de braços cruzados sobre o peito, de pé e imóvel. Ela não nos viu, nem Cissy. Como foi estranho ver uma pessoa tão importante do passado de Will, do nosso passado, saindo do quarto de June Reid. E como foi estranho que Cissy não tenha vindo falar conosco, já que Rebecca e Kelly devem ter contado a ela que estávamos hospedados no hotel. Quaisquer que fossem suas razões, quando Mimi e eu voltamos para o quarto naquela noite, tentamos ligar para Lydia mais uma vez, só para ouvir a campainha tocar, sem nenhuma resposta. Mimi pegou uma caneta na bolsa e começou a escrever um bilhete num bloquinho de papel do Moonstone. Arranjamos um envelope e pedimos a Kelly que mandasse pelo correio para Lydia, com um endereço sem nada de específico, senão Main Street, Wells, Connecticut. Tínhamos esperança de que chegasse até ela.

# Lydia

A cozinha está escura. Uma trilha sonora de risos no televisor ligado no apartamento de cima corta o silêncio. Lydia puxa a cadeira mais para perto da mesa da cozinha e, quando faz isso, os pés da cadeira raspam de leve no chão. Ela segura o fone junto à orelha com as mãos e pergunta se Winton ainda está ouvindo.

*Sempre*, responde com calma, como se estivesse esperando para dizer exatamente aquela palavra.

*Bem... fique aí, então.* Lydia inspira bem fundo e expira lentamente. Ela continua abalada por causa de sua briga na calçada com o rapaz que devia ser filho de Kathleen Riley e com a mulher que lhe dera um tapa, minutos antes, mas não está com medo. Fecha os olhos enquanto fala.

*Nunca falei com você sobre Rex. É uma pessoa que conheci no Tap, muito tempo atrás. O Tap é um bar que existe desde sempre e vai continuar a existir para sempre, assim como as pessoas que vivem bebendo lá. Pessoas como eu. E como Earl, que ia lá toda noite, até que eles o expulsaram para sempre, alguns anos depois que nos divorciamos. Tem que fazer muita força para ser banido* do Tap, portanto isso deve te dar uma ideia do tipo de cara que ele é. Acho que, se Earl não tivesse sido expulso do Tap, eu nunca teria nem pensado em frequentar o bar, então quando a gente para um pouco para pensar no assunto, eu tenho de agradecer a Earl por Rex. Isso foi muito tempo depois de Earl, mas eu ainda era jovem o bastante para ir lá e não ter de pagar por bebida.

*Talvez isso comece com o fato de que eu tinha quarenta e poucos anos e ainda contava com tomar umas bebidas grátis. Você nunca me viu, Winton, mas até pouco tempo eu era capaz de fazer alguns homens virarem. Isso nunca me trouxe nada de bom, mas me trazia bebidas grátis e naquela noite me trouxe Rex. Ele não era daqui, mas também não era de longe. Tinha uma academia de ginástica em Amenia e era dono de uma porção de pequenos negócios. Nunca consegui entender o que ele fazia e ele sempre tinha uma história para explicar um carro novo ou uma motocicleta nova. As coisas meio que caíam no colo dele — televisores, máquinas de cortar lenha, pneus, motocicletas para andar na neve — e nunca entendi exatamente como acontecia. Para mim, não tinha importância. Ele era divertido e gostava de me levar a bons restaurantes. Isso foi na época em que eu ainda achava que ir a um bom restaurante tinha alguma importância.*

A voz de Lydia está mais alta. Ela não está gritando, mas fala com determinação e depressa, com o vigor que nasce de fazer certas associações, descobrir um esquema, desvendar alguma coisa. Logo depois que começa, ela entende que se trata de uma história que ela tem pressa de terminar.

*Além de meu filho e meu ex-marido, Earl, o relacionamento mais demorado que tive com um homem foi com Rex. Luke estava no colégio na época, no ensino médio, e ainda morava comigo, mas ele nunca estava em casa. Tinha o treino de natação, provas e alguma das namoradas com que vivia saindo.*

*Quando Rex apareceu, dava uma sensação boa eu ter meus*

*próprios planos, uma companhia diferente além do meu filho, que era tudo para mim desde que nasceu.* Dava uma sensação um pouco boa demais, porque eu não prestava muita atenção ao que já deviam ser os sinais de alerta. Rex sumia por alguns dias sem avisar e no início parecia estranho, mas depois de um tempo acabei me acostumando. Além do mais, havia histórias que não se encaixavam direito — como as suas histórias, Winton, nomes que mudavam, lugares e horários que não combinavam —, mas eu me acostumei com isso também, e disse para mim mesma que nada daquilo tinha importância. Quando estava comigo, Rex era divertido. Podia ser misterioso e dissimulado, mas me fazia rir. Como Earl. Como você.

Luke nunca me incomodou por causa de Rex. Ele se mostrava respeitoso, mas dava para notar que não gostava dele. Nunca me disse nada, mas com Luke sempre dava para ver o que ele achava de alguém pela maneira como ouvia a pessoa falar. Seu rosto ficava ou aberto ou fechado — não existe maneira melhor para descrever — e com Rex seu rosto ficava fechado, como se ele soubesse que tudo o que saía da boca de Rex era conversa fiada. Esse é um talento que ele não herdou de mim. Eu só consigo reconhecer uma conversa fiada quando já estou afundada nela até o nariz. Como agora.

Algumas semanas depois que Luke se formou no ensino médio, Rex pediu o carro emprestado. Foi num sábado à tarde que ele pediu, precisava do carro para fazer uns negócios no dia seguinte. Seu Corvette estava com algum defeito, ele me contou, e prometeu que ia devolver o carro à noite. Lembro que Luke ficou chateado, porque nosso trato era que eu usava o carro para trabalhar durante a semana e ele podia usar no fim de semana. Não lembro o que foi que falei exatamente, mas ele aceitou com relutância.

Então Rex dormiu em minha casa no sábado e, na manhã de domingo, antes de eu acordar, foi embora. Três ou quatro horas *depois, me telefonou de uma cadeia em Beacon. Foi abordado por um guarda perto de Kingston e uma grande quantidade de cocaína foi encontrada no carro. Ele pediu para eu mandar o dinheiro para pagar sua fiança, mas eu não tinha acesso a tanto dinheiro; assim, seu advogado, um homem com nome de mulher, Carol, arranjou o dinheiro de algum jeito e ele saiu da cadeia na manhã do dia seguinte. O que Rex me contou na porta do tribunal naquele dia foi que as drogas não eram dele. Que eram de Luke e que ele escondia drogas no carro. Chegou a dizer que ouviu Luke no telefone combinando entregas e transações e nunca me contou nada porque queria me proteger. Winton, você também me disse que queria me proteger. Lembra? Dos seus chefes. Para que vou querer que você me proteja de pessoas que promovem uma loteria que eu supostamente ganhei? Foi nessa altura que eu devia ter desligado o telefone na sua cara, mas não fiz nada disso. E quando Rex me disse que estava me protegendo da verdade sobre Luke, eu devia ter dado as costas para ele e ido embora. Mas não fiz isso. Acreditei. Assim como acreditei em você. Acreditei mesmo. Acreditei também no advogado dele, que me disse que Luke ia ficar preso por dez anos se não se confessasse culpado. Alguns dias depois, acreditei no promotor, que me disse que as drogas estavam dentro das bolsas de ginástica de Luke, com a sua identidade de estudante e outros pertences, alguns óculos de natação e um tocador de CD portátil. Também me disse que um traficante de White Plains, um cara chamado Ray Hale, que tinha sido preso na mesma ocasião, deu um testemunho de que Luke era o seu distribuidor no condado de Litchfield. Disse que tinha mais duas pessoas prontas para testemunhar que haviam comprado cocaína com Luke. Quando descobri que Rex e o tal de Ray Hale tinham o mesmo advogado, Rex me disse que era uma coincidência, que havia poucos advogados que tratavam de casos de drogas em Hudson Valley. E você não vai acreditar. Eu acreditei nele. Acreditei em todos eles. Em todos,* menos no meu filho, que me implorou para arranjar um bom advogado, que chamasse professores, treinadores e amigos para testemunhar e escrever cartas em sua defesa. Todos que faziam parte de sua vida o defenderam, mas eu o deixei desamparado. Fiz até pior do que desamparar.

Na tarde seguinte à prisão de Rex, três policiais vieram ao meu apartamento com um mandado de busca. Liguei para o defensor público de Luke, que disse que era de supor que os policiais estivessem em seu direito, porque não só tinham depoimentos que afirmavam que Luke era traficante como encontraram drogas em sua bolsa de ginástica num carro que ele usava regularmente. Ele me disse que eu não tinha opção senão deixar que dessem a busca. Então deixei que entrassem e, como se já tivessem um mapa pronto da casa, foram direto para o quarto de Luke e, em poucos minutos, acharam mais duas bolsas de cocaína dentro de uma lata de café embaixo da cama. Era como estar num pesadelo. Luke, que estava olhando do corredor junto comigo, ficou louco. Gritou que tinham forjado aquelas provas, que Rex devia ter escondido as drogas ali para o caso de ser apanhado. Gritou comigo, também. Disse que eu tinha arruinado sua vida ao trazer Rex para as nossas vidas. Acho que eu não entendia até que ponto ele tinha razão até que os policiais o agarraram e jogaram no chão da cozinha e o algemaram, enquanto um deles lia seus direitos. E ainda assim, eu não o protegi. Eu devia ter me jogado dentro daquele carro e gritado e me esgoelado até que os guardas e os juízes e os advogados, todos eles, acreditassem que eu era a única responsável pelas drogas. Eu é que devia ir para a prisão. Minha vida não era nada e a de Luke estava só começando. Mas eu não me mexi. Não gritei. Não fiz nada, enquanto via a polícia levar meu filho embora.

Lydia baixa o telefone até o peito. Seu rosto é um misto de agonia e incredulidade e, quando traz de novo o fone ao ouvido, sua voz está mais suave, menos afobada.

*Sei que você acha que sou uma mulher burra, Winton, mas nem mesmo você vai acreditar no que aconteceu depois. O que aconteceu depois só é possível quando existe uma mulher fraca que tem medo de ficar sozinha. Cujo filho tem uma bolsa de estudos para fazer uma faculdade no outro lado do país e está indo embora sem olhar para trás. Só é possível quando a pessoa é uma idiota feito eu que ainda dá ouvidos a um cara como você, hora após hora, durante meses, escutando mentiras como se ouvisse música no rádio.*

*O que veio depois foi que deixei de ser mãe. Aceitei dar um depoimento sobre o lugar onde Rex tinha estado nos dias anteriores à prisão, um lugar que na verdade eu nem conhecia. A verdade foi que ele sumiu sem dar explicações nem telefonemas durante três dias, o que era normal para Rex. Apareceu no sábado de tarde, sem o seu Corvette, trazido por um amigo a quem ele disse estar ajudando a montar um restaurante na cidade. Foi aí que pediu nosso carro emprestado na manhã seguinte. Seu advogado disse que esse pequeno depoimento da minha parte era a última coisa de que Rex precisava para garantir com segurança que ele não tinha nenhuma participação na encrenca de Luke. Carol disse que era o mínimo que eu podia fazer, em vista das circunstâncias. Assim, apesar de eu ter descoberto naquele mesmo dia que Rex tinha uma ficha na polícia que incluía fraude e muitas acusações por tráfico de drogas, eu dei esse depoimento. E quando os advogados, o promotor e Rex depois me disseram que eu tinha de convencer Luke a se declarar culpado para obter uma redução de sentença, também fiz isso. Eles me disseram que, embora Luke tivesse dezoito anos e não fosse menor de idade, levaria apenas um tapinha na mão porque era réu primário, que isso não ia afetar sua bolsa de estudos nem sua vida em nenhum aspecto. Você acha que me dei ao trabalho de verificar com alguém se era mesmo assim — Stanford, seu treinador, outro advogado — para ver se eles sabiam* do que estavam falando? Claro que não fiz nada disso. Acreditei em Rex. E em vez de contratar um advogado decente e deixar que o júri decidisse, convenci Luke a fazer o que todos eles queriam. Nesse ponto, ele estava aterrorizado, na cadeia há vários dias, e o promotor o assombrava com ameaças de ficar na prisão até os trinta anos. O defensor público disse a Luke que era sua melhor chance para voltar a ter uma vida normal, e no final ele se declarou culpado. Se declarou culpado e passou onze meses na prisão.

O que aconteceu a seguir não vai surpreender você. Rex saiu impune e, três semanas depois, foi embora. Nenhuma despedida, nenhum telefonema, nenhum bilhete, nenhum obrigado. Nada. Nunca mais vi Rex nem ouvi falar dele. Eu aposto que você já estava adivinhando essa parte, Winton. A parte da história em que a mulher tonta faz ou dá ao homem que é capaz de fazer a mulher rir aquilo que ele quer, e depois ele some. Você já ouviu essa parte da história antes. Você ouviu e viu e fez isso mil vezes.

Já contei para você que uma mulher veio aqui na porta da minha casa esta noite e me deu um tapa na cara? Fez isso, sim. Você deve conhecer o pai dela. Outro idiota infeliz feito eu, que manda dinheiro para desconhecidos. Pelo menos, ele tem a sorte de ter uma filha disposta a se meter no assunto. E foi o que ela fez. Ela me deu uma lição. Graças a Deus. Meteu um pouco de juízo na minha cabeça. Finalmente, alguém conseguiu meter um pouco de juízo na droga da minha cabeça! Sabe o que foi que ela disse? Disse que eu destruía a vida das pessoas e ela está com toda a razão. Disse que eu tinha de parar, Winton. Disse para eu parar, e exatamente agora, apesar de já ser tarde demais para fazer alguma coisa boa, estou parando.

Antes que Winton fale, Lydia se levanta diante da mesa da cozinha. Baixa o fone do ouvido para o peito e o abraça por alguns segundos, antes de devolvê-lo com cuidado para a base. No andar de cima, o televisor foi desligado e, pela primeira vez em toda a noite, seu apartamento está em silêncio.

# Silas

Faz nove meses que ele largou a bicicleta ali e se esgueirou pela entrada de carros e atravessou o gramado até a casa. Como naquela noite, agora a lua brilha com força, não está totalmente cheia, mas quase. Ilumina a estrada e, do outro lado, em frente à entrada fechada por uma corrente, há hectares de macieiras e pereiras, onde Silas e seus amigos passavam muitas horas quando crianças. Na luz azulada, ele imagina Ethan e Charlie usando varas compridas para atirar maçãs contra os muros de pedra e vendo como elas explodiam. Quantas tardes eles passaram ali, esmagando frutas e rindo até a cabeça estourar? Recorda os trabalhadores mexicanos que acenavam para eles e os deixavam para lá. Ninguém parecia dar pela falta daquelas maçãs nem se importar por eles estarem invadindo uma propriedade particular. Quando foi a última vez que estiveram ali? Silas tenta lembrar. Dois verões atrás? Três? Parece que foi numa outra vida. Algo brilha no escuro do outro lado da estrada e, de início, ele não sabe o que é, mas quando chega mais perto vê que é a antiga caixa de correio de June Reid, prateada e amassada, e ainda de pé. Está inclinada para a esquerda e a bandeira vermelha de metal aponta para o chão. Ele se vira para trás, na direção do alto da entrada de carros, e desce devagar.

Agora, não existe mais casa, só um retângulo escuro de terra e pedras. Não vê o menor sinal de nada queimado ou chamuscado, nenhum sinal do que aconteceu ali. O tamanho surpreende Silas. Não parece grande o suficiente para, um dia, ter abrigado quartos e mobília e todos os complicados sistemas que mantêm uma residência em funcionamento. Ele se aproxima do lugar onde ficava a janela da cozinha e olha para aquele estranho pedaço de terra. Parece um jardim, pensa ele, à espera de ser plantado, ou uma enorme sepultura, que acabaram de escavar e encher de novo. Ouve o estalo de um graveto e, quando pula para olhar atrás de si, vê o que restou do pequeno galpão de pedra, semi-iluminado ao luar, como um fantasma esfarrapado. O pequeno telhado com ripas de cedro, na maior parte, está queimado, mas as paredes e as portas continuam de pé. Por incrível que pareça, duas caixas de potes de vidro Ball continuam guardadas ali. Ele entra, senta no chão imundo e se recosta na parede de pedra fria.

Nove meses atrás, ele voltou ali porque não tinha escolha. Tenta lembrar que horas eram daquela noite, mas essa parte está confusa. Sabe que foi do trabalho para casa por volta das oito horas, porque jantou com os pais e as irmãs. Lembra que o ficaram infernizando por causa dos preparativos do casamento e por causa do jantar da véspera do casamento naquela casa. Queriam saber o que ele tinha visto, o que tinha ouvido, quem estava lá. Ele não conseguia entender por que tanto interesse, sobretudo da parte de sua mãe, que não parava de perguntar se tinha visto a mãe de Luke, Lydia. Ela sempre teve um problema com Lydia. *Ela não estava usando um daqueles seus vestidinhos bem curtos como os que usava para ir lá no Tap?* Sua irmã Gwen gritou: Mãe! Isso é feio! O pai ria e aquilo não parou.

Depois de comer o picolé de baunilha que a mãe lhe trouxe de sobremesa, ele se levanta da mesa e vai para o quarto, ansioso para fumar um baseado e cair duro de sono. No meio da escada, dá pela falta de alguma coisa. Ele para e pensa. A mochila. Onde está? Sente um aperto no peito. Não terá deixado na mesa da cozinha? Desce a escada em disparada e tenta parecer natural enquanto passa pela mesa em direção à pia. Copo d'água, murmura por precaução, enquanto espia embaixo da mesa e não vê nada em nenhum lugar perto de onde tinha sentado. Antes que se envolva na conversa, some e vai para o primeiro andar, para seu quarto, onde recapitula cada minuto daquela tarde. Estava com a mochila quando ele, Ethan e Charlie ficaram à toa, matando o tempo e ficando chapados no Moon. Lembra que voltou correndo e escondeu a mochila no galpão de pedra, atrás das caixas de potes de vidro Ball, portanto ela não estava visível e não estava em suas costas quando eles executaram às pressas o trabalha que faltava.

E então, com um choque, ele entende. *ELA AINDA ESTÁ LÁ*. Atrás da caixa, dentro do galpão de pedra, junto da casa. A porra da mochila continua lá e, dentro dela, está seu *bong*, a maconha, sua autorização de aprendiz, sua carteira de estudante e seu dinheiro. Um bando de gente vai aparecer de manhã cedinho para esvaziar aquele galpão e preparar a recepção do casamento. Rick Howland, o fornecedor do bufê, por exemplo, sem dúvida vai chegar lá antes das oito horas e Luke acorda às seis horas da manhã, portanto, mesmo se ele quisesse chegar antes de Rick, Luke com certeza ia dar uma geral na propriedade mais cedo, sair catando mato, enquanto xingava seus funcionários vagabundos por fazerem tamanha lambança.

Silas senta na cama e tenta controlar a respiração. Está morto por ter passado a tarde inteira de pé e chapado e sente como se fosse hiperventilar. Cerra os punhos enfiados entre as coxas, respira fundo e gostaria de poder dormir. Mas não há como escapar da verdade sinistra: ele precisa voltar lá. Tem de voltar até a Wildey Road e descer pela Indian Pond depois que todo mundo na sua casa estiver dormindo — e tomara que na casa de June Reid também.

 E é exatamente isso que ele faz. Três longas horas mais tarde, depois que ouviu a última descarga de privada no banheiro dos pais, no fim do corredor. Depois que se masturbou duas vezes e engoliu uma lata de Red Bull quente que tinha esquecido de beber alguns dias antes. Ele não tem certeza se é a cafeína ou a adrenalina, mas, assim como estava sonolento antes, agora está desperto. Pronto para resolver aquele assunto. Pisa o mais leve que é capaz enquanto desce a escada, passa pela cozinha e sai pela porta dos fundos para o lugar onde sua bicicleta está encostada na casa. Voa pela Wildey e pela Indian Pond e quase passa direto pela entrada da casa de June. Derrapa quando freia, desmonta da bicicleta e a larga no mato.

 Vista da estrada, a casa está escura. É uma casa velha, de pedra, de dois andares, porém a parte mais à direita, a mais antiga, é feita de madeira, e as únicas janelas na frente ficam no térreo. As pessoas podiam estar acordadas no primeiro andar e, da estrada, ele não tinha como saber. Teria de se esgueirar ao lado da cozinha para poder verificar. Sua ideia era dar a volta por trás da casa, mas pensa no barulho que ia fazer ao andar com esforço, no mato, para chegar lá. O melhor era andar discretamente pela entrada de carros e subir sorrateiro pelo lado, entre a cozinha e o galpão de pedra.

 A pista de cascalho fino chia embaixo de seus pés, embora ele pise da maneira mais leve e lenta possível. Parece que leva horas para chegar ao gramado, onde suas pisadas são quase silenciosas. Na hora em que alcança o canto da casa mais próximo, consegue ver um facho de luz que ilumina o galpão de pedra.

A lâmpada da cozinha está acesa e, aliás, ela pisca e oscila, deve haver alguém lá dentro. MERDA, MERDA, MERDA, sussurra para si mesmo. Inclina-se contra a lateral da casa e, para se equilibrar, apoia-se nas ripas de madeira crua do revestimento externo. Ele não pode voltar, agora. Vai avançar, palmo a palmo, junto da casa e arranjar um canto perto da janela da cozinha até que quem estiver lá dentro, seja quem for, vá dormir. Ele começa a se mover. O que devem ser as batidas das asas de um morcego sacode o ar logo acima de sua cabeça e ele desaba no chão, cobrindo o rosto. Tem de empregar toda sua capacidade de controle para não dar um grito. Fica agachado, se ajeita até sentar e avança de gatinhas, pouco a pouco, até chegar a um lugar que não é alcançado pela luz, bem à esquerda da janela. Descansa a cabeça na lateral da casa e espera. No início, não vem nenhum barulho de dentro. Tem cigarras por todo lado, cantam e parecem enormes, mas depois de um tempo aquilo se torna um som ambiente, tão natural e invisível quanto a escuridão em que ele está envolto. Então ele ouve vozes que vêm dos fundos da casa. *A porra da varanda fechada por uma tela*, pensa ele, que havia esquecido, até aquele instante, que a varanda existia e estava bem ali, logo atrás da cozinha, nos fundos da casa. A distância a que ele se encontra da parede da casa corresponde apenas à metade da espessura da parede. Se fungar, quem estiver lá dentro vai acabar ouvindo. Começa a entrar em pânico. Está muito exposto, perto demais. Se tentar ir embora agora, vão ouvir o barulho. Tenta controlar a respiração, mas concentrar-se nisso faz a respiração soar mais alto ainda, mais descompassada. Abraça as pernas contra o peito e aperta bem. Está a mais ou menos vinte metros apenas do galpão de pedra onde se encontra sua mochila, mas seria melhor que estivesse do outro lado da cidade. Ele está preso numa arapuca. Não há nada a fazer senão esperar que todo mundo na casa vá dormir.

Rastejando no escuro, tenta distinguir o que as vozes na varanda estão dizendo. Não parecem pessoas comemorando a véspera de um casamento. No casamento da sua irmã mais velha, Holly, puseram um barrilzinho na varanda dos fundos e todo mundo ficou acordado pelo menos até as quatro da madrugada. Ele se lembra do noivo dela, Andrew, um garoto rico de Nova York cuja família tem uma casa de veraneio na cidade e se lembra de que ele tinha uma trouxinha de cocaína. Seus colegas da faculdade se jogaram na piscina em Harkness para nadarem pelados. Isso foi no verão anterior e as irmãs de Silas não deixaram que ele fosse junto. Teve de ficar dentro de casa, olhando os pais e os tios enchendo a cara e ouvindo os pais do Andrew brigando para decidir quem estava mais sóbrio para dirigir o carro na volta para casa. Em comparação, aquela cena na casa de June Reid mais parece um velório. Ele tinha visto a Lolly mil vezes, durante anos; era uma garota gostosa, do tipo hippie rica, e o cara com quem ela estava casando parecia um sujeito legal, só que um pouquinho sacal, do tipo sabichão demais. Tinha ouvido os dois conversando no gramado naquele mesmo dia, mais cedo. Tinha algo a ver com horários de voo e com fazer as malas. Silas se dá conta de que Lolly Reid provavelmente já andou de avião mil vezes e foi a lugares de que ele nunca tinha ouvido falar. Silas tinha entrado num avião uma vez: na viagem para Orlando, na Flórida, com as irmãs, quando tinha onze anos. A avó os encontrou no aeroporto e eles passaram dois dias em filas compridas na Disney World. Silas acha que Lolly, mesmo quando criança, não era do tipo que vai para a Disney World.

A porta da varanda abre com um rangido e Silas ouve passos. Eles estão vindo por trás da casa. Então vê um homem. É Luke. Está com uma camisa branca Izod, calça escura, e caminha para os fundos do gramado, na direção das árvores. Na certa vai dar uma mijada, pensa Silas, enquanto observa o branco de sua camisa pairando no escuro distante, como um fantasma. Fica ali parado por um tempo que parece bastante longo, mais longo do que precisa para mijar. No fim, volta para a casa, caminha bem na direção de Silas, no início, e depois vira para a porta da varanda. As vozes se animam, mas depois parece que eles vão para dentro da cozinha. Bem de leve, ele ouve passos na escada, abrem a água no banheiro do primeiro andar e vem o barulho da descarga da privada. Uma porta fecha e depois a casa fica em silêncio.

Dentro da cozinha, acima de sua cabeça, ele ouve a água da pia correr por um instante. Portas de guarda-louças se fecham. E uns estalos lentos. *Tique, tique, tique.* June e Luke estão conversando e, entre as palavras, ele ouve os estalos. June fala alguma coisa sobre chover no molhado e ele diz o nome dela. June fala e ele se limita a repetir o nome dela. Parece que ele está tentando convencer alguém a sair da beirada de um prédio ou de uma ponte. *June,* diz ele, e os estalos param. June fala, mas Silas não consegue ouvir as palavras. Ela está longe demais da janela. É tenso, o que os dois estão discutindo, seja lá o que for, e pelo tom e pelo volume Silas percebe que está piorando. Sombras bloqueiam a luz da janela acima dele. Os dois estão bem perto, a centímetros de sua cabeça. E agora ele ouve todas as palavras.

*June,* diz ele, *não vou pedir desculpas por ter respondido a ela com a verdade. E é verdade: já pedi você em casamento duas vezes agora.*

*Não é tão simples. Você sabe disso.* A voz de June é severa, como a da mãe de Silas.

*Mas eu não sei! Afinal, que diabo significa não é tão simples? Sinto que tem alguma coisa faltando aqui e você tem de me explicar.* Silas nunca ouviu Luke tão perturbado. No trabalho, ele pode ficar sério, tenso, mas não desse jeito.

A voz de June diminui e Silas só consegue ouvir fragmentos, mas distingue as últimas palavras, porque ela grita: *É porque eu não consigo!*

Luke, ainda junto à janela, diz: *Não consegue é mentira e você sabe disso. Eu amo você e você diz que me ama e, não que eu tenha um monte de bons exemplos, mas no meu dicionário isso significa que a gente deve se casar.* A voz dele ficou mais alta, quase grita. Silas consegue ouvir June; fala alguma coisa, mas foi para o outro lado da cozinha, para perto do fogão, e suas palavras são apenas um som. Um som que encerra a conversa e que faz Luke disparar através da cozinha e sair para a varanda dos fundos. A porta de tela bate com força e, de repente, Luke está do lado de fora, caminha depressa e em linha reta até os fundos do gramado, para o campo, na direção da linha de árvores distantes, que dão num labirinto de trilhas no Moon. Silas vê a camisa branca de Luke brilhar nitidamente na mata e depois desaparecer. Ouve um movimento na cozinha e depois a porta de tela abre e fecha de novo. Dessa vez, é June quem sai correndo, não andando, através do gramado na direção da mata. O cabelo louro é o que Silas vê brilhar pela mesma trilha que Luke tomou um minuto antes. Contra o fundo prateado e azul do campo à noite, o cabelo dela parece iluminado por um único raio de luar, como se o raio a seguisse num palco enorme, da mesma forma que um refletor acompanha um astro de rock num show. Quando June chega à margem escura onde o campo se junta com a mata, ela desaparece também.

Eles foram embora, mas em seu lugar os estalos, que haviam parado minutos antes, recomeçam. No início, Silas acha que deve haver outra pessoa na cozinha. Espera alguns segundos e os estalos continuam, mas não há nenhum movimento, nenhuma mudança na luz que vem da janela. Será que ela deixou o fogão ligado? Será que isso é possível? Lentamente, Silas se põe de pé. As pernas e as costas estão duras de ficar tanto tempo agachado. Anda até o outro lado da janela, onde uma mangueira de jardim está enrolada e encostada na parede da casa. Ele segura o peitoril da janela, apoia o pé na mangueira enrolada e suspende o corpo para ver a cozinha. Não tem ninguém lá. O fogão está na extremidade oposta à janela de onde Silas está olhando — um daqueles fogões antigos que os nova-iorquinos ricos gastam centenas de dólares para consertar, porque acham bonito. Mas aquele não parece ter sido arrumado. Tem ferrugem no fundo e alguns botões parecem ter sido substituídos por botões provisórios, tirados de outros fogões. Silas afrouxa a mão no peitoril e desce. Seus pés aterrissam na ponta da mangueira, o tornozelo vira e ele desaba no gramado de mau jeito. Fica no chão. De novo, ouve os estalos. *Tique… tique… tique.* Que merda que eu vou fazer agora?, pensa, enquanto olha para o campo em busca de algum sinal da camisa de Luke ou do cabelo de June. Não enxerga nada, senão a silhueta preta da tenda montada para a festa, que avulta no gramado iluminado pelo luar. Não tem ninguém por perto, ninguém vai ouvir. Está na hora. Ele prende a respiração e cruza a curta distância entre a casa e o galpão de pedra. Suas mãos tateiam a porta até sentir e soltar a tranca de ferro. Na hora em que abre, a porta range como um gato agonizante e, por um segundo, ele faz uma pausa para ouvir se há algum movimento dentro da casa. Nada. Só os estalos, que, com a nova distância em que ele está da casa, quase desaparecem por entre o canto das cigarras. O som fica escondido no meio do barulho do mundo e só dá para ouvir se a pessoa ficar parada e com os ouvidos atentos. Silas desiste de tentar escutar. Ainda de joelhos, apalpa por trás da pilha de caixas de potes de vidro Ball em busca de sua mochila, e *SIM-CARALHO-SIM* ela está ali. Ele desliza a mochila por trás das caixas e a segura como se fosse um filhote amado e perdido há muito tempo. *Hora de ir embora*, ele se inclina para baixo e sussurra dentro da bolsa, imaginando a primeira tragada de maconha que vai dar em seu *bong* assim que cair fora daquela propriedade. Fecha a porta rangente do galpão de pedra, fecha o ferrolho, olha para a entrada de carros e imagina sua bicicleta escondida no mato.

    Ele se levanta para ir embora e lá estão de novo o barulho, os estalos. *Puta que pariu*, rosna baixinho. Embora seja a última coisa do mundo que ele quer fazer, Silas vira na direção da casa. Quanto mais se aproxima, mais alto soam os estalos. Ele não consegue acreditar que todo mundo na casa não esteja acordado, a essa altura. Imagina Lolly dormindo e se pergunta se ela está no primeiro andar, sozinha, na noite da véspera do seu casamento; ou se aquele nerd sacal está junto com ela. Silas imagina se os dois treparam nessa noite ou se estão esperando a lua de mel. Silas não trepou com ninguém e, até agora, nem chegou perto de fazer isso. Imagina Lolly trepando no primeiro andar e, por um segundo, ele acha até que ouviu um gemido. Chega mais perto da casa e escuta. O único som que consegue ouvir são os estalos e, sem pensar, seus pés se movem naquela direção. Logo está embaixo da mesma janela onde estava antes, e ali os estalos são mais altos. O barulho não dá trégua, mais alto a cada centelha. Ele é a única pessoa escutando.

# Cissy

Papai era um sujeito bonitão. Cara alto, ombros largos, olhos verdes que nem grama. Mamãe não tinha a menor chance. Os dois se conheceram quando mamãe tinha quinze anos, catando estrelas-do-mar na praia ou alguma outra bobagem desse tipo. Ele tinha dezoito, estava noivo e ia casar com uma garota na reserva indígena, e nove meses depois, no primeiro andar desta mesma casa, no quarto onde agora dorme a minha irmã Pam, nasceu minha irmã Helen. Nós cinco nascemos nesse quarto, na cama da mamãe. E nós cinco, que casamos e mudamos, agora voltamos, viúvas ou divorciadas, ou apenas desiludidas, para morar aqui outra vez. A única diferença, agora, é que mamãe morreu faz muito tempo. Foi enterrada no cemitério de Moclips, perto dos pais dela e bem longe do papai, que foi enterrado na reserva. Acho que mesmo aos quinze anos mamãe já sabia o que queria. Queria o papai e, embora não pudesse tê-lo, teve. Segundo a história que contam, quando papai falou para os pais dele que tinha engravidado uma garota branca da cidade, eles nem piscaram o olho ou levantaram a voz ou a mão contra ele. Agiram rápido e fizeram seu filho casar naquele mesmo mês com a coitada da garota da reserva para a qual ele já estava prometido. E pronto, como dizia mamãe, assunto encerrado. Ele teve um filho com aquela esposa e cinco filhas com a mamãe. Mamãe ficou morando com a vovó e o vovô e foram os três que criaram a gente. Papai vinha almoçar algumas vezes por semana. Nunca vinha de noite, sempre de dia. A gente ficava em fila, que nem umas garotinhas militares, à espera da revista de tropas, quando ele entrava. Nos dava beijos e balas de caramelo, perguntava sobre a escola e sobre meninos e piscava os olhos, antes de sentar para comer um sanduíche, tomar um café e fumar cigarros na cozinha com mamãe.

Mamãe se formou na Moclips High School, entrou para o Grays Harbor College e tirou um diploma do curso de curta duração. Durante a maior parte do tempo em que estudou, volta e meia ela engravidava e sempre dizia que não dava a menor bola para as fofocas. Tinha o papai, o vovô, a vovó e a nós, dizia ela, além do mais, aquilo mantinha os rapazes afastados. Ela teria continuado a estudar, mas Grays só dá diploma do curso de dois anos e não havia nenhum lugar perto o suficiente para ela poder ir à aula e voltar para casa no mesmo dia. Trabalhou como assistente de bibliotecário na biblioteca pública em Ocean Shores até morrer, em 2000. Papai morreu no mesmo ano. A esposa dele continua viva e mora na reserva. Deve estar com oitenta e poucos anos, talvez mais. Sobreviveu ao marido e ao filho, que morreu não faz muito tempo, e ela, como eu, mora junto com o que restou de sua família. Minhas irmãs e eu nunca tivemos nenhum problema com nenhum deles, mas sempre tomamos o cuidado de evitá-los. Sabíamos que ninguém lá queria ter nada com a gente e ficamos à distância. No geral, continuamos a fazer isso.

Fui à reserva cinco vezes na vida, três delas por causa de

Will Landis. A última vez foi para avisar o pessoal de lá que ele tinha morrido. Will não era um deles, mas todos adoravam o Will, e eu sabia que era importante para eles saberem da morte dele. Muita gente por aqui adorava aquele garoto, querendo ou não. Era filho de um casal de hippies de Portland que se mudaram para cá no início dos anos 90 para dar aula na escola fundamental. Foram morar na casa que o Ben construiu para nós, quando nos casamos, a mesma casa em que ele morreu. Eu não tinha motivo para ficar na casa, por isso minha irmã Pam vendeu e me mudei para uma casa que fica só um pouco mais abaixo, para morar com minhas irmãs. Fui a última a voltar para casa, o que fazia sentido, porque eu era a filha caçula. Will também era o caçula, mas não foi isso o que me chamou a atenção nele. O que chamou minha atenção foi que ele trabalhava. Era só dizer para ele pintar um celeiro que ele arranjava a tinta e o pincel e fazia aquilo, até terminar. Era só dizer para ele limpar as algas da praia que ele corria e logo arranjava um ancinho. Aquele garoto nem piscava o olho e a única pessoa que conheci e que era que nem ele foi o Ben. Por isso eu deixava o Will andar colado em mim. Ele batia na minha porta pronto para trabalhar e eu logo arranjava um trabalho para ele. Das dez às quatro, e por um dólar por dia. Os Hillworth, no início, não gostaram. Acho que pensaram que iam ser processados pelo governo por explorar o trabalho infantil, mas o garoto sabia ser útil e eles acabaram adorando o menino, também. Will lavava a velha caminhonete Ford deles, empilhava os jornais e as revistas e levava para a reciclagem, corria à loja de ferragens ou ao Laird's para qualquer coisa de que precisassem. Estou dizendo para você que ele era o Ben, igualzinho, só que em forma de menino e com um décimo da sua altura. Não tenho nada para dizer sobre o Ben, a não ser que acordava cedo, voltava tarde, dava duro no trabalho, tinha o sono profundo e era a honestidade em pessoa. Para mim, ele era o maior, e a única coisa que fez de errado na vida foi fumar, e foi isso que o matou. Nunca achei que ia querer alguém perto de mim como eu queria o Ben, portanto o negócio todo foi um tremendo lance de sorte. Na verdade, sua partida foi uma surpresa menor do que sua chegada, por isso, depois que ele morreu, continuei tocando a vida e voltei ao meu plano A, que era a casa onde fui criada com minhas irmãs. E foi quando aquele filho dos Landis apareceu. Dez anos de idade, morando com aqueles hippies que não tinham a menor ideia de como cuidar direito de uma casa. Todo dia de manhã, ele batia na minha porta e pedia para ir trabalhar, e não parava mais, até eu mandar.

Quando eu soube que o Will tinha morrido, desci pela Pacific Avenue e fui até a reserva. A questão era que o Joe Chenois também adorava aquele garoto Landis. Joe Chenois era um líder, alguém que lutou para recuperar terras roubadas dos índios Quinault. A única vez que pedi um favor para o Joe foi para dar uma chance ao garoto Landis. Ele já estava meio cansado de limpar calhas, trocar lençóis e carregar lixo no hotel Moonstone e estava pronto para encarar outra coisa. Nunca parava de falar da reserva e estava doido para descobrir o máximo que podia. Por isso fui até o escritório do Joe e pedi que desse um trabalho para o garoto e, pouco depois, todo mundo ali já estava chamando o garoto de Pequeno Cedro. Ele adorava ficar lá e tinha uma adoração pelo Joe. Todo mundo da reserva também tinha. Alto, que nem o papai. Também tinha os mesmos olhos verdes. Will ainda aparecia algumas vezes na semana para me ajudar no Moonstone, ou então ia em casa e sentava na escada da porta e descarregava em cima da gente um monte de histórias da reserva: como o Joe tinha arrancado uma vitória contra o Estado, quanto os entalhadores que faziam as velhas canoas cobravam dos turistas para dar umas remadas pela praia. Os garotos mais velhos adoravam contar para ele as lendas e os mitos da tribo e ele sugava tudo que nem uma esponja. Ficava superexcitado com as histórias que envolviam a faixa de areia que vai daqui até a reserva e que antigamente era um acampamento para as meninas Quinault que chegavam à puberdade, mas ainda não estavam casadas. Os mais antigos ainda contam que as sereias protegiam as meninas dos homens ou do que pudesse trazer algum mal para elas. Todo mundo que foi criado por aqui já ouviu mil vezes essas histórias. Mas a maneira como o Will contava abria meus ouvidos. Ele adorava cada centímetro deste lugar. Não se cansava das pessoas que viviam aqui e de suas histórias, e apesar de eu ter passado a maior parte da vida evitando a reserva e os olhares humilhantes da tribo, gostava de ouvir a versão de Will daquele assunto.

Pouco antes de partir para o Leste para cursar a faculdade, Will me convenceu a ir à reserva para ver uma canoa que ele estava fazendo. Depois de quatro anos e de uma ajuda confusa do Joe e dos entalhadores, ele havia conseguido. Eu não tinha a menor intenção de ir lá quando ele começou a me encher o saco com aquilo, em maio, mas em agosto ele acabou me vencendo pelo cansaço e aceitei andar pela praia com ele, à tardinha, depois do trabalho. Ouvi o Joe tossindo antes de entrarmos no depósito comprido de madeira. Eu não ouvia uma tosse assim — do tipo que parece rasgar os pulmões — desde o tempo do Ben. Joe tinha mais ou menos a mesma idade que eu, mas de pé, sob as luzes do depósito de madeira, parecia vinte anos mais velho, curvado, a pele enrugada e seca. Notei um maço de cigarros Camel que formava um volume no bolso da sua camisa. *Você tem um garoto fora de série*, disse ele, ao me cumprimentar como sempre tinha feito: amistoso, cauteloso. *Ele não é meu*, foi o que acho que respondi. Joe sorriu, balançou a cabeça e meio que sussurrou: *Nesses assuntos, nunca se sabe*.

Tossiu, quando apontou para a única canoa que havia no

depósito, escorada em cavaletes de serrador e com pelo menos nove metros de comprimento. *O que você acha?* Percebi que era uma canoa Quinault tradicional — comprida, larga e escavada num único tronco de cedro. Tinha a proa alta e a popa baixa, estreita, com quatro pranchas de cedro atravessadas no meio. Lembro que papai contava histórias de que demoravam até dois anos para fazer uma canoa feito aquela. Contava como os mestres entalhadores escavavam o tronco, vedavam os furos, enchiam de água e jogavam lá dentro pedras em brasa para a água ferver. Depois, deixavam a madeira descansando durante o inverno e a primavera, para madurar. Fazia muito tempo que eu não me lembrava do papai nos contar essas histórias. Contornei a proa e percebi que cada centímetro da canoa tinha sido pintado por fora. Não consegui distinguir os desenhos no primeiro olhar, mas, quando cheguei mais perto da proa, vi o rosto de uma mulher de um lado e o rosto de um homem, do outro. Os dois tinham cabelos compridos e prateados, que escorriam da proa até a popa, em ondas que pareciam o mar. Nas ondas, havia peixes verdes, baleias brancas e sereias azuis e douradas. Nenhum rosto era reconhecível, mas eu sabia. Joe veio para o meu lado e pôs o braço em volta dos meus ombros. Ao longo de todos os anos desde que nos conhecemos, nunca chegamos sequer a tocar as mãos. Mesmo no enterro de meus pais, mantivemos distância, como fizemos durante toda a vida.

Joe morreu um ano depois. Mais um homem bom que morreu de tanto fumar. Will veio da faculdade para casa e fomos juntos à homenagem fúnebre. Algumas pessoas da reserva sempre me olharam meio de lado e tenho certeza de que algumas fizeram isso no dia em que apareci com o Pequeno Cedro. Mas não é da minha conta. Minhas irmãs não foram, assim como também não foram ao enterro do papai. Não porque não amassem o papai, mas a verdade era que, para nós, papai existia na nossa cozinha e em mais nenhum lugar. Era que nem um vizinho bonito que aparecia de vez em quando e iluminava o ambiente durante algumas horas e depois ia embora. A reserva era o mundo dele, o povo dele, e embora ele nunca dissesse isso, nós não éramos bem-vindas lá. Mesmo assim, fui ao enterro do papai porque Ben insistiu que eu fosse, e estou contente por ter ido. Assim como estou contente por ter ido ao enterro do Joe. Ele era um herói na reserva e um espinho na carne de qualquer um que quisesse tomar dos Quinault algo que Joe acreditava pertencer a eles. Centenas de pessoas foram ao enterro e Will, entre muita gente, foi um dos que falaram algumas palavras. Senti orgulho de ver Will, na frente das pessoas que eu evitei durante a vida toda, contar para elas que Joe sempre deu atenção a ele e como, pelo exemplo, ele o ensinou a querer o tipo de vida que Joe levava, uma vida útil.

Ben e eu não tivemos filhos. Nunca tentamos ter e nunca tentamos não ter, também. Apenas não aconteceu e eu nem penso muito no assunto. Mas aquela pergunta que, uma vez na vida e outra na morte, eu me fazia sobre que tipo de filho a gente podia ter me voltou à cabeça enquanto, uma por uma, as pessoas se levantavam e faziam elogios ao Joe. Eu sabia que o Joe era um líder e alguém que as pessoas veneravam, mas fiquei surpresa de ver quantas vidas uma pessoa podia afetar. Dá para dizer que me senti orgulhosa. Do Joe, do Will, de mim mesma, de mostrarmos isso uns para os outros. No entanto, mais que isso, senti saudade do Ben e me deu muita pena ele não estar ao meu lado, ouvindo Will falar sobre Joe. Não jogo meu tempo fora desejando que as coisas sejam diferentes do que são. Mas, naquele dia, chegou a doer em mim a vontade que senti de que Ben estivesse vivo para conhecer o único menino que eu teria orgulho de chamar de meu.

A magia do mundo se infiltra na gente em segredo, se instala perto da gente, quando se está olhando para o outro lado. Pode aparecer na forma de um rapaz alto que tem cheiro de peixe, que puxa a trança da gente num bar, numa noite, e pede a gente em casamento. Ou pode ser um menino que aparece na porta da nossa casa. Will não apareceu de mãos vazias e não foi embora sem deixar algo para trás. Não só me deu um pouco do Ben, quando eu mais sentia sua falta, e também uma boa companhia, que não pedia nada, senão trabalhar em tarefas cotidianas e ficar perto de mim, mas, quando eu não estava olhando, ele, com suas artimanhas, me fez lembrar metade da pessoa que eu sou.

Quando chegaram os convites para o casamento do Will, marquei o quadradinho que dizia "lamento não poder comparecer" e mandei de volta pelo correio no dia seguinte. Ele sabia que eu não ia pegar um avião e voar para o outro lado do país. Mas fiquei feliz por ele encontrar alguém. Will trouxe a moça aqui no primeiro verão deles, para mostrar a ela o lugar de onde ele tinha vindo. Fiz uma sopa, caminhamos pela praia e ouvi o barulho das ondas enquanto ele contava para o seu amor as histórias antigas de sereias e magia. Diferente da maioria das pessoas, Will não torcia uma história nem fazia a história ficar diferente cada vez que contava. Contou todas as histórias para ela do mesmo jeito que Joe tinha contado a ele quando era menino, assim como papai me contava.

Depois que Will morreu, eu achava que não ia ter mais nenhuma surpresa na vida. Que todo mundo que teria alguma importância ou faria alguma diferença para mim, àquela altura da vida, já teria feito. Eu me acomodei e cumpria minha parte, no trabalho e em casa, e pronto, acabou-se, era o que eu achava. Mas aí uma mulher que dizia se chamar Jane se hospedou no quarto 6. E ficou lá.

# Silas

.

É inverno e não tem cigarras, mas ele ouve cigarras. Ele se agacha perto das caixas de potes de vidro Ball, as costas apoiadas na parede do galpão de pedra, e ouve os sapos da noite. Parecem selvagens, tropicais. Está frio, mas ele consegue lembrar o ar quente, a lua muito brilhante. Ele está no lugar onde tinha estado. E todo mundo está como estava, tudo continua intacto. Ele pode ver e ouvir tudo. As palavras, a porta da varanda, a camisa branca do Luke brilhando no campo, June indo atrás dele.

Os estalos não pararam. Ele se pergunta de novo se tem mais alguém dentro da casa. É possível que Lolly esteja sozinha? Como é que ela não escuta nada? Como é que alguém consegue dormir com um barulho tão alto feito aquele? Imagina Lolly com os peitos de fora, só de calcinha, dormindo por cima da coberta. Imagina a pele dela — perfeita, reluzente — não como a das garotas dali, que parecem menos protegidas do clima. *ACORDEM, CARALHO!*, pensa ele, e quase grita. Os estalos continuam e não há nenhum barulho de movimento dentro da casa. Ele observa o campo e a linha de árvores em busca de algum sinal de Luke e de June, mas não vê nada. Alguém precisa desligar o fogão e ele sabe que não tem ninguém para fazer isso a não ser ele. Só vai levar um segundo, diz consigo. Ele vai entrar e sair, antes que Luke e June voltem e sem que ninguém dentro da casa perceba. É só virar a maçaneta e pronto, tudo bem. Não vai ser apanhado. Se for embora nesse momento, quem sabe o que pode acontecer? Já ouviu histórias de casas cheias de gás que explodiram e voaram pelos ares, mil metros de altura, por causa da faísca de um interruptor de luz. Mas será que não são só histórias que os pais contam para os filhos, para dar medo e para que eles tomem cuidado? Merda, resmunga baixinho e começa a se mover devagar pelo lado da casa. Avança palmo a palmo, sem fazer barulho, até a porta da varanda, abre a porta com o maior cuidado e entra. Atravessa a varanda e dá dois passos cautelosos para subir a escadinha de ardósia e entrar na casa. Para no pé da escada escura que leva ao primeiro andar. Toma coragem para olhar para cima, na linha do corrimão. Não vem nenhum barulho lá de cima, nenhum movimento. Ninguém ouviu nada. Os estalos são mais altos do que o barulho de seus pés no chão de tábuas largas e ele controla o intervalo entre os passos para que coincidam com as pulsações da ameaça do fogão. Avança para o velho demônio branco, olha para o queimador e vê o acendedor estalar sem produzir centelha nenhuma. No fogão, não há nenhuma indicação que permita a ele saber qual está aberto e qual está fechado. Não tem nenhuma palavra no fogão, em nenhum lugar. Tenta o botão mais próximo do queimador e, sem pensar, vira para a esquerda. Ele estala uma vez e, no mesmo instante, uma pequena explosão de chamas ondula na sua frente, com um forte chiado. Nada mais do que um clarão e, com a mesma velocidade com que explodem, as chamas diminuem e baixam, a poucos centímetros de altura. Os estalos param. Ele vira de novo para a direita e a chama levanta. Fica parado, aturdido com a explosão, mas aliviado porque os estalos cessaram. E então recomeçam. *Que merda é essa?*, resmunga, enquanto examina o queimador e o botão. Vira o botão para a esquerda outra vez e os estalos param e, dessa vez, não há chama nenhuma. Talvez fosse porque tinha acumulado muito gás antes. Talvez por isso, quando ele desligou, uma chama subiu. O gás precisava queimar, só isso. De repente ele fica confuso e lamenta ter saído da cama naquela manhã, ter ido trabalhar para Luke naquele dia, ter fumado maconha no Moon, ter perdido a noção das horas, ter esquecido a porra da mochila dentro do galpão de pedra, e gostaria de nunca ter feito nada disso. Olha para o fogão em busca de respostas e não há nenhuma. Os estalos cessaram, mas isso não significa que o fogão esteja desligado. Tem a impressão de sentir cheiro de gás, mas não tem certeza. Se há gás, pode estar pairando no ar, o gás que escapou antes. Mas é mesmo gás? Não sentiu o cheiro quando entrou. Agora está suando, as mãos estão pegajosas. Fecha os olhos, pensa. Parou de estalar, portanto deve estar desligado. Tenta recapitular todos os movimentos — esquerda, direita, esquerda. Ou foi direita, esquerda, direita? A chama não subiu quando virou o botão para a esquerda? Como podia estar fechado se ele virou o botão de volta para a mesma posição de antes? Ou não fez isso? Pisca os olhos algumas vezes, puxa o cabelo para trás e tenta se concentrar de novo no que acabou de acontecer. Ouve um barulho nas tábuas corridas do primeiro andar e sabe que agora tem de sair da casa. O fogão parou de estalar, ele raciocina pela última vez, portanto está fechado. Antes de sair, olha para a cozinha à sua volta. Está iluminada e é tão velha quanto o fogão, os outros aparelhos são novos, lustrosos. Grossas placas de mármore formam as bancadas e, embaixo da janela, há uma pia dupla e funda, com uma torneira alta e curva. Os armários são pintados de amarelo-claro, as paredes são brancas. Dá uma última olhada no fogão, fareja em busca do cheiro de gás, mais uma vez, e agora tem certeza de que sente o cheiro, mas só de leve. Em cima da bancada, vê os óculos escuros de gatinho que viu no rosto de Lolly quando ela estava conversando com o que devia ser a família do noivo, no gramado, naquela tarde. Avança na direção dos óculos, mas, antes de chegar à bancada, ouve uma porta abrir no primeiro andar e depois o som de passos. De repente, ele está em movimento, atravessa a cozinha, desce para a varanda fechada por uma tela e vai na direção da porta. Esbarra numa cadeira de vime que desliza alguns centímetros sobre a ardósia. O mais rápido que pode, e suavemente, levanta a cadeira e a recoloca na posição original, simétrica com o sofá e de frente para outra cadeira. Quando baixa a cadeira no chão, repara nas almofadas brancas e azuis espalhadas, uma colcha bege e macia dobrada sobre o braço baixo do sofá, velas esparsas, agora já apagadas, a cera derretida, os pavios pretos. Sabe que tem de se apressar, mas algo o retém ali. O espaço recém-usado, o cheiro de citronela e de perfume que perdura, as almofadas de bolinhas onde as pessoas estavam sentadas poucos minutos antes. Lembra-se da mãe de Luke e de June Reid, ali, mais cedo, rindo. Ouve o barulho de uma descarga de privada no primeiro andar e recua, dá meia-volta e sai pela porta da varanda, que, por acidente, ele deixa bater depois que passa. Pega correndo a mochila, que deixou junto ao galpão de pedra, dispara através do gramado da frente, sobe pela entrada de carros e vai para a estrada. Apanha a bicicleta no mato, pendura a mochila nos ombros e prende as alças da frente sobre o peito. Levanta uma perna por cima da bicicleta e segura firme o guidão. As mãos estão trêmulas. Estou indo, sussurra, confirmando e contestando o que está acontecendo, o que provavelmente não deveria estar acontecendo. Toca o pé no pedal esquerdo e imagina a primeira maravilhosa tragada de maconha. Os pneus começam a rolar sobre o asfalto, embaixo da bicicleta. Sente o *bong* sacudir dentro da mochila, nas suas costas. Estou indo, diz de novo, dessa vez com convicção.

Pedala furiosamente até passar pela igreja e virar para a esquerda e entrar numa estrada velha e pouco usada, só pelos caminhões que transportavam madeira. Quase sente o gosto da fumaça na boca quando desce da bicicleta, abre o zíper da mochila e vasculha seu interior, em busca do *bong*. Os braços continuam trêmulos. *O que foi que aconteceu, caralho?*, resmunga consigo, lembrando o cheiro de gás. *O que foi que eu fiz?*

Pensa por um instante em voltar, gritar chamando as pessoas no primeiro andar da casa adormecida para acordar Lolly ou qualquer um que ouvir. Pensa nisso, enquanto pega seu pote com densos tufos de maconha e fisga um isqueiro no bolso da frente da mochila. Acomoda-se no capim ao lado da bicicleta e cruza as pernas, como os índios. Recapitula as consequências — a polícia, seus pais, Luke. Puxa o *bong* para o colo, se inclina para frente e, enquanto enche lentamente os pulmões de ar, seu pensamento se esvazia. Prende a respiração pelo maior tempo possível e, quando solta, a fumaça da maconha forma caracóis em volta da cabeça e dança em cima dele, como chamas fantasmas. Fecha os olhos e puxa os joelhos contra o peito. As horas precedentes, minuto após minuto de uma agonia, vão se tornando menos opressivas e, aos poucos, se apagam. Dá mais uma tragada. Seu corpo se acalma, ele expira e o mundo, de novo, é simples: as cigarras que cantam, a centelha de um isqueiro e o som de um menino que respira.

# June

Lolly tinha razão. O Moonstone fica no fim do mundo. June viajou de carro o máximo que pôde e é ali que ela vai parar. Nesse quarto de paredes brancas, tapete cinzento, com uma sereia dourada pintada num pedaço de madeira apanhado no mar e pendurado acima da cama. Vai ficar ali pelo tempo que for necessário, talvez para sempre, ela pensa, quando apaga a luz e deita a cabeça no travesseiro. Ouve o oceano lá fora, batendo na praia, sem parar, e pela primeira vez se permite lembrar aquela noite, não a rechaça.

Está de pé junto à pia, enche a chaleira para ferver água para o chá, mas ela mesma já está fervendo. Por causa de uma coisa que permaneceu inabalável e insensível entre eles desde a véspera do Ano-Novo, quando ele a pediu em casamento. Ela respondeu com uma risada; esquivou-se da pergunta fingindo que ele estava brincando, como se ele tivesse sugerido que atravessassem o campo nos fundos da casa, subissem a escada do prédio principal da Igreja da Unificação e aderissem aos seguidores do reverendo Moon. Sua risada naquela noite foi tão desdenhosa e distante, tão categórica, que Luke levou quase um mês para se recuperar. Ele tinha feito uma fogueira e os dois estavam comendo uma sobra da noite anterior, o risoto que ela havia feito quando Lydia viera jantar. Ela havia perguntado sobre o casamento de Lolly, em maio. Lolly tinha telefonado depois do Dia de Ação de Graças para contar à mãe que ela e Will iam aceitar a oferta, feita já havia um ano, de fazerem uma festa na casa. Agora, isso lhe dava menos de seis meses para alugar uma tenda, explicou June, mandar os convites, contratar um serviço de bufê, organizar as flores e todo o resto. June notou que Luke estava muito calado durante a conversa sobre os preparativos do casamento, mas ele não falou nada depois que Lydia foi embora. Esperou até a noite seguinte e perguntou se a hesitação de June tinha a ver com dinheiro e com a grande diferença de circunstâncias que havia entre eles. Luke estava ganhando a vida direito com sua empresa de paisagismo, mas não podia competir com o que ela possuía no banco e com a casa, que fora quitada quando June ainda estava casada com Adam. Luke disse que, se sua preocupação era essa, ele teria prazer em assinar qualquer tipo de contrato ou acordo pré-nupcial que ela quisesse. June não podia dizer que a ideia de um acordo pré-nupcial não tinha passado pela sua cabeça quando ele a pediu em casamento; tinha sim, mas superficialmente. A verdade era que ela não tinha pensado na opção de casar com Luke com suficiente seriedade para examinar também as consequências legais ou financeiras. Na véspera do Ano-Novo, quando Luke se agachou, apoiado num joelho, e lhe deu um lindo e inusitado anel laqueado cor-de-rosa, a única consequência que passou de relance pela cabeça de June foi Lolly. Agora, fazia apenas poucos anos que ela vinha se comunicando com a filha. E fazia menos de dois anos que Lolly admitia a existência de Luke e falava seu nome. Fazia só umas poucas semanas que ela aceitara a proposta de June de realizar a festa de casamento na casa. No meio de tudo isso, estourar a notícia de que ela e Luke iam casar só serviria para confirmar a teoria fundamental sobre June: ela pensava em si mesma antes e acima de tudo e suas ações nunca levavam em conta o impacto nos outros, especialmente em Lolly. Foi nisso que June pensou naquela noite, quando tentou se desculpar por sua primeira reação insensível, tentou garantir a Luke que não precisavam se preocupar com nada disso. Não explicou seus motivos, porque instintivamente não queria contrapor Luke a Lolly. Colocar Lolly entre Luke e aquilo que ele queria. June havia afinal conseguido convencer Lolly a dar uma chance a Luke e não queria correr o risco de causar nele algum ressentimento em relação à filha. Mas não falou nada disso naquela noite, diante da fogueira, em fevereiro. Também não disse que tinha rido quando ele a pediu em casamento porque foi apanhada desprevenida e porque era impossível. O que disse foi que o amava e, por enquanto, isso era o bastante. E naquela noite e por um tempo depois, foi o bastante. Guardou o anel dentro da caixinha cinzenta, na gaveta de cima de sua cômoda, junto com suas outras joias. Disse para ele que o anel estava grande demais e que ia ajustar o tamanho numa loja em Salisbury; mas na verdade o anel encaixava com perfeição e ela não tinha a menor intenção de usá-lo. Não porque não o achasse bonito — era lindo, em seu estilo único art déco *vintage* —, mas porque não queria ficar sempre com aquela pergunta sem resposta presa em seu dedo, acenando entre eles todos os dias. O que queria era que a própria pergunta sumisse.

Mas naquela noite a pergunta está de volta e sua reação é ainda pior do que antes. Está imóvel junto ao fogão, o punho cerrado no quadril, a outra mão segurando o botão, que não produz nenhuma centelha, nenhuma chama. Luke saiu nesse instante e, atrás dele, a porta de tela da varanda acabou de fechar. Ela o fez sair com palavras que não consegue reconhecer como suas. Mexe no botão do fogão, vira tudo para a esquerda outra vez e espera que o fogão acenda, mas, em vez disso, vem apenas um leve cheiro de gás. Ah, *merda*, resmunga, pensando que o piloto deve ter pifado de novo. Com aquele fogão, era muito difícil saber o que estava acontecendo. Às vezes acendia na mesma hora, explodia numa bola de fogo ou então demorava a vida toda ou acabava mesmo sem acender. Ela vira o botão todo para a direita, desliga e, como de costume, o acendedor faísca — uma vez, duas, de novo, de novo... Depois de alguns minutos, ou mais que isso, vai parar, os estalos vão acabar parando, mais cedo ou mais tarde. Faz anos que é assim. Ela vai substituir aquele traste, jura para si mesma toda vez que ele não acende, como agora, e continua estalando muito tempo depois que o queimador já foi apagado. Vai substituir o fogão quando consertar a tela rasgada na varanda e a secadora de roupa quebrada que está no porão, mas não antes do casamento, não antes que tudo se acalme. June se afasta do fogão, atravessa a varanda correndo e sai para o gramado. Para um instante para que os olhos se adaptem, para que o escuro opaco se encha com a forma das árvores, do galpão, do campo, da tenda. Perto da linha de árvores ao longe, no fundo do campo, ela avista a mancha brilhante da camisa branca de Luke, acima do capim alto. Ela vira naquela direção.

Na trilha capinada ao longo da beirada do campo, ela segue o vulto de Luke até a mata, onde ele some no início da trilha mais próxima. A lua está quase cheia e o campo, a mata, os montes Berkshires ao longe estão iluminados por uma luz prateada, como se o mundo fosse um negativo exposto. Na hora em que pisa na trilha que leva para o terreno da Igreja da Unificação, ela já o perdeu de vista. Procura com esforço qualquer lampejo da camisa de Luke e chama seu nome bem alto, enquanto caminha, tomando cuidado para não tropeçar numa raiz ou numa pedra. Segue a trilha em que tinham andado juntos mil vezes e recorda mais uma vez a noite em que ele a pediu em casamento, lembra como ela estava despreparada para a pergunta e como ficou aliviada ao anular aquela possibilidade, pelo menos por um tempo. Não havia mais ninguém com quem ela desejasse ficar que não fosse Luke, mas mesmo deixando de fora as questões com Lolly, a ideia de casar de novo era algo difícil de assimilar. Acordos pré-nupciais, o medo de que ele ficasse magoado com ela por não poder lhe dar filhos, o constrangimento da diferença de idade entre os dois, a lembrança do divórcio amargo com Adam — tudo isso ia acabar se misturando e era algo impossível de imaginar.

Durante uma hora, ela segue pela trilha — através da mata, ao longo do gramado atrás da Igreja da Unificação, e desce pela estrada que dá a volta para o campo ao lado da sua propriedade. Mesmo ao luar, não consegue achar Luke. Entra pelo campo e, do outro lado, consegue enxergar a massa escura que é a sua casa e a silhueta da grande tenda branca que foi montada para a festa de casamento, no dia seguinte. Parece um cachorro gigante encolhido junto ao pé da casa, protegendo sua família adormecida. Ela começa a atravessar o campo e para quando ouve um graveto estalar nas suas costas. Chama o nome de Luke e volta pela trilha por alguns metros; chama de novo. Em resposta, uma coruja pia um insulto abafado: *Burra, burra, burra*.

Sai da mata e, lentamente, volta pela trilha capinada em direção ao gramado, com os ouvidos atentos para ruídos às suas costas enquanto caminha. Chega à tenda e olha para trás antes de entrar. Observa o campo lúgubre, tingido de prata, e as árvores mais além, no entanto não vê Luke.

Entra na tenda e vai na direção da ponta de uma das três mesas compridas de festa, ainda sem flores e sem louças. Senta numa das cadeiras dobráveis de madeira e pensa no vozerio e nos risos que vão encher aquele lugar no dia seguinte e recorda seu casamento com Adam, vinte e três anos antes. Ela estava grávida de Lolly, mas ninguém sabia, nem Adam. Não tinha feito nenhum exame nem tinha ido ao médico ainda, mas sabia, e lembra que pensou que agora já tinha aquilo de que precisava de um marido: um filho — e, portanto, podia sumir, recomeçar a vida com o filho ou a filha, sem ter de passar por todo o resto. Fazia vinte anos que não pensava naquela noite nem na sua fantasia de uma fuga. Nunca lhe ocorreu, antes, imaginar como seria estar casada com alguém que tivesse aqueles pensamentos na noite da véspera do casamento. Ela se pergunta se Adam terá notado sua ambiguidade na ocasião e, pela primeira vez, pensa que talvez, desde cedo, aqueles sentimentos tenham afetado aquilo que, mais tarde, iria se esgotar em seu casamento. Ela se pergunta se Lolly não está com as mesmas ideias agora, deitada, sem dormir, ao lado do futuro marido, arquitetando uma viagem secreta de avião antes do nascer do dia. É improvável. Mas, afinal, quem imaginaria o que June estava pensando naquela hora, tantos anos antes? Na superfície, era uma noiva eufórica, casando com seu amor de faculdade, dando sequência a uma vida em Nova York que parecia um mar de felicidade. No entanto, bem no fundo, sabia que era mais provável o casamento se desmanchar do que dar certo. Sabia, mas encobria esse conhecimento com o futuro que todos em sua vida enxergavam para os dois e que, de vez em quando, ela conseguia vislumbrar nos olhos deles. O pai de June penava com uma doença cardíaca e a mãe tinha morrido quando ela ainda estava na faculdade, portanto, se dá conta, também existia o sentimento da necessidade de estar ancorada, de ter um lugar ao mundo.

June experimenta uma peculiar mistura de compaixão e ressentimento quando pensa que Adam está dormindo no primeiro andar da casa. Lembra como Lolly fez questão de que ele passasse o fim de semana com eles e dá graças a Deus por ter afinal cedido naquela disputa. O conflito se agravou rapidamente um dia antes de Adam chegar e, depois de uma conversa áspera e de uma longa caminhada na mata, ficou claro que, se June insistisse que Adam devia se hospedar no motel Betsy, onde ela já havia reservado um quarto para ele, o fim de semana iria por água abaixo, voltaria atrás todo o progresso que ela e Lolly tinham conseguido, e as chances de obter mais algum avanço seriam minadas. E Lolly tinha razão. A presença de Adam foi tranquila e dava uma sensação estranhamente confortadora. Ela se contrai quando pensa em como chegou perto de fincar pé e não aceitar, o que teria sido uma catástrofe. Segura a cabeça com as mãos e aperta.

Vê Luke, meses antes, agachado, apoiado num só joelho, fazendo o pedido de casamento; o anel esmaltado cor-de-rosa fixado dentro de sua caixinha de veludo cinzento, a expressão devastada nos olhos dele, quando ela riu. O rosto confuso e lindo de Luke nesta noite, quando se pôs de pé na cozinha e perguntou, direto e sem raiva: Por quê? O que ela disse em seguida não veio de nada que ela acreditasse ou quisesse, mas era o que ela imaginava que os outros diziam, o que ela temia que seus amigos em Nova York cochichassem pelas suas costas e que os fofoqueiros da cidade sussurravam no mercado. O que ela disse continha toda a agitação que ela sentia, porque a noite com Lolly havia terminado com um toque amargo, porque o tema de Luke e June se casarem tinha vindo à tona e porque Luke não havia simplesmente apagado o assunto e restaurado a tranquilidade. O que ela disse em seguida foram palavras que faria tudo para não ter dito. *Por que você não é o tipo de cara com que uma pessoa como eu se casa, você é o tipo de cara com que uma pessoa como eu acaba ficando, depois que seu casamento terminou.* Ela ouviu as palavras pela primeira vez, quando falou; não tinha pensado nisso, não tinha planejado ou pronunciado aquelas palavras para si, antes, baixinho ou em voz alta. June viu as palavras voarem e atingirem o alvo e, quando ele saiu furioso, ela virou o botão do fogão para a direita, desligou, e, junto com a batida da porta de tela e o tumulto dos sapos e das cigarras nas árvores lá fora, os estalos do fogão começaram.

Encolhe as pernas junto ao peito, apoia o tênis na beira da cadeira dobrável e olha para cima, para a ondulante tenda branca e prateada. Balança o corpo devagar e, com culpa e vergonha, sente a mágoa de estar errada se espalhar pelo peito e subir pelo pescoço e pelo rosto. Como pôde ser tão cruel com um homem que só lhe ofereceu amizade, bondade e amor? Ela sabe qual é a única maneira de ele a perdoar, sabe que a única esperança que há para os dois, depois do que ela disse, é simplesmente dizer que sim. Casar com ele. Ela tem cinquenta e dois anos; Luke tem trinta. Os dois se conhecem há três anos e ele nunca foi desonesto ou indelicado. Descuidado, talvez. Egoísta, sim. Impaciente, às vezes. Porém foi mais parceiro com ela do que Adam jamais foi capaz de ser, e ela confia nele. E, à diferença de Adam, que a evitou fisicamente depois que Lolly nasceu, Luke descobria maneiras de tocá-la ao longo do dia todo. Seus dedos muitas vezes roçavam nos braços dela, suas mãos toda hora apalpavam as costas de June quando ela passava na sua frente. E o sexo, embora mais frequente do que ela gostaria, muitas vezes era tão emocionalmente arrebatador quanto fisicamente surpreendente. O corpo de Luke, com ou sem roupa, ainda a chocava, e tocá-lo podia levá-la a acessos de risos juvenis ou deixá-la completamente muda. Por que ela deve deixar que seu passado e seu orgulho a impeçam de lhe dar o que ele quer? O que ela quer. Estica as pernas e coloca os pés em cima da cadeira à sua frente. Respira no ar parado da noite e sente os músculos dos ombros e do pescoço relaxarem quando expira. Aí está, pensa consigo, ao lembrar um sentimento de alívio semelhante quando decidiu deixar Adam. Lembra também que, depois de tomar a decisão, recordou os anos precedentes de seu casamento — todas as dúvidas, as mentiras e os indícios — e se perguntou por que demorou tanto tempo para fazer o que, de repente, se mostrou tão óbvio. Eram essas as perguntas, na época, e são as perguntas, agora. Por que certas decisões são tão sofridas num momento e depois não? Por que ela aprendeu as lições mais importantes na velocidade de uma grande dor?

Puxa o casaco por cima do peito e se acomoda nas duas cadeiras dobráveis que ela transformou numa cama improvisada. Vai esperar que ele volte. Vai ficar do lado de fora, na noite de verão, enquanto o cervo espirra na mata e os sapos coaxam no meio das árvores. Vai esperar por ele, ali. Embaixo daquela tenda de casamento, vai esperar. E vai dizer sim.

# Silas

Já passa das três da madrugada quando pedala de volta para a cidade. Não fumou mais maconha desde pouco depois de Lydia Morey ter parado na calçada e gritado com ele. Esta noite, não vai mais fumar, pois seu *bong* está reduzido a um monte de cacos de vidro que chacoalham dentro da mochila. Porém, para variar, ele não quer ficar doidão. Para variar, não quer que haja nada entre ele e o mundo. Está cansado e está na hora. Mas antes de fazer o que ele sabe que devia ter feito meses antes, tinha de voltar, refazer seus passos e recordar com bastante clareza para poder contar. Lembra-se de Luke falando para os três que precisava que eles trabalhassem com esforço dobrado naquele dia. *Vocês são bons*, disse ele. *Mas hoje eu preciso que sejam ótimos*. Silas lembra que fugiu correndo, com Ethan e Charlie, para o campo nos fundos, assim que Luke saiu da entrada de carros, ficaram vagando à toa no terreno do Moon e depois voltaram para terminar às pressas o trabalho que tinham deixado para trás. Luke deve ter notado o trabalho porco que fizeram quando voltou para casa. Diria alguma coisa para eles quando os encontrasse, mas não ficaria louco de raiva nem seria sacana. Simplesmente diria que precisava de um trabalho melhor e que, se eles não conseguissem dar um jeito de melhorar, ele teria de arranjar outros caras para trabalhar. Tinha dito isso antes e, em geral, servia para deixá-los com tanto sentimento de culpa que, durante um mês mais ou menos, eles botavam para quebrar no trabalho e voltavam a cair nas graças dele. Silas lembrou que Luke era um homem adulto, mas não parecia. Tinham um pouco de medo dele, mas tinham, sobretudo, respeito. Fisicamente, por exemplo — não conheciam ninguém que fosse tão forte; mas ele era responsável, sem ser chato. Trabalhava duro, sem ser um metido. Uma vez ou outra, quando estavam trabalhando num serviço com ele, Luke ficava zangado com alguma coisa que tinha feito e jogava uma pá no chão, e teve até uma vez em que ele quebrou um ancinho no próprio joelho. Mas esses ataques não aconteciam com frequência e não eram direcionados contra os caras que trabalhavam para ele. Luke era um bom sujeito. Não era o drogado que a mãe de Silas pintava, quando, no início, não quis que ele fosse trabalhar para Luke. Mas quando, naquele verão, entre a oitava série e o primeiro ano do ensino médio, não apareceu mais nenhum trabalho, ela acabou cedendo. Mesmo assim, mandou Silas ficar de olho bem aberto e prestar atenção àquilo que ela chamava de negócios estranhos. Nunca houve nenhum negócio estranho e, depois de um tempo, as histórias de prisão e tráfico de drogas pareciam se referir a outra pessoa. Não combinavam com o sujeito para quem eles trabalhavam de vez em quando, desde que Silas tinha treze anos de idade. Mas sua mãe nunca baixava a guarda, jamais admitia a possibilidade de que ela e as outras fofoqueiras da cidade estivessem enganadas. E aí aconteceu o acidente e ela teve aquilo de que precisava. *É triste, mas eu sabia que ia acontecer alguma coisa ruim*, disse ela no mesmo dia em que tudo aconteceu. *Não dá para enganar todo mundo por tanto tempo. Ainda bem que o Silas não ficou preso lá dentro.* Ele se lembra da mãe falando no telefone, naquele dia. Bastaram apenas alguns minutos para ela começar a espalhar histórias, formular uma explicação para os fatos e inventar um réu. Mas o que Silas recorda de maneira mais nítida é que ele mesmo não disse nada capaz de conter a mãe ou nenhuma das pessoas que saíram fazendo piadinhas, enfeitando boatos e formulando julgamentos apressados. O que lembra é que não falou nada. O que lembra é que viu Lydia Morey no café, alguns meses depois de tudo acontecer, e quis chegar perto dela, naquele mesmo instante, e contar a verdade. Não teve coragem, na hora, como também não teve coragem todas as vezes que a viu depois. Em vez disso, ele a seguia pela cidade, a uma distância segura. Chegou até a ficar plantado na entrada do prédio de Lydia Morey e observá-la andando de um quarto para outro. Toda vez que a via, pensava que era naquele momento que ia contar tudo para ela, mas sempre perdia a coragem. Não só pelo que aquilo podia significar para ele, mas porque não conseguia imaginar não vê-la mais do jeito como tinha visto. Alheia, triste, sozinha. Seria impossível explicar para alguém, mas ele pensa em si mesmo como seu guardião, sua sombra. Ninguém entenderia dessa forma, ele sabe, sobretudo Lydia. E, assim que disser para ela o que tem a dizer, prevê que ele será a última pessoa no mundo que ela vai querer compreender. Talvez, se não a tivesse assustado nessa noite, as coisas ficariam como estavam. Ele continuaria a ser sua sombra durante anos. Só que não há mais nenhum jeito de ficar invisível outra vez para ela. E ele não pode desfazer o que já faz. Se existe uma coisa que ele entendeu este ano, é isso.

A cidade está em silêncio, todas as luzes se apagaram, a não ser os postes que iluminam seus círculos de costume. É tarde, mas Silas está acordado, e não está nervoso. Atravessa a porta do prédio de Lydia e bate na porta. Pouco depois, ela está na sua frente. Está parada atrás do vidro da porta, um roupão cinzento fechado por cima do peito, o cabelo desce em volta do rosto e capta a luz que vem da cozinha, atrás dela. Não vai destrancar a porta, ela diz, mas não está aborrecida. Vai chamar a polícia, avisa, mas ele não se mexe. Vai esperar até que ela confie nele. Desta vez, ele vai ficar pelo tempo que for necessário. E aí, vai contar para ela.

# Lydia

A verdade vai libertar você. É engraçado, pensa ela, quando a aeromoça mostra como afivelar o cinto de segurança e respirar na máscara de oxigênio, é engraçado que tenham sido necessários um charlatão e um garoto devastado por segredos para que ela tomasse aquele caminho e, pela primeira na vida, pegasse um avião. *A verdade vai libertar você, querida Lydia*, disse Winton com sua voz cantada, no último telefonema. *Porque é a única coisa capaz de fazer isso.* Estava só tentando entabular uma conversa com ela, naquela noite, mas ele acabou pondo um ponto final numa coisa que já havia durado demais. A verdade era algo que ela havia escondido ou torcido durante toda sua vida adulta e, por causa disso, havia sofrido ou feito os outros sofrerem. Silas, aquele pobre garoto atormentado, ao lhe contar a verdade, mostrou para ela que essa não era mais uma vida que ela pudesse viver. Silas, que de início ela queria estrangular por ser tão burro, por fazer a escolha que fez a fim de se salvar; porém, por mais doloroso e absurdo que aquilo que lhe contou pudesse parecer para os outros, ela entendia. Entendia que as escolhas ruins vêm do medo, executadas por força de um sentido de sobrevivência mal orientado. Ela jamais chamaria a polícia para contar o que ele disse. O que ele fez nunca mais pode ser desfeito e isso será punição suficiente. Ele levou seu segredo consigo o mais longe que conseguiu e, depois, desistiu. Estava na hora de ela também fazer isso.

Lydia juntou tudo e organizou em ordem cronológica, em pastas envoltas em elásticos vermelhos: boletins escolares, cartas para o Papai Noel, matérias de jornais sobre os recordes estaduais, a obtenção da bolsa de estudos para a Universidade Stanford, fotografias do aperto de mão com o governador, vestido de smoking para a festa de formatura, sem camisa num dia de verão lavando o carro. Lá está, também, a reportagem no jornal local sobre a prisão de Luke. Por que razão, na época, ela cortou aquilo e depois guardou durante tantos anos, ela não sabe. Mas está muito bem dobrada, junto com os outros papéis, a manchete CAMPEÃO DE NATAÇÃO DE WELLS PRESO POR TRÁFICO DE DROGAS acima de umas frases curtas que informam que Luke foi detido sob custódia, depois que meio quilo de cocaína foi encontrado dentro do seu carro e no apartamento em que morava com a mãe. Também isso ela vai mostrar para George e explicar sua parte. A única fotografia de Luke com June é uma que ela tirou no estacionamento da igreja, na noite do jantar da véspera do casamento de Lolly. Guardou o filme na câmera até esta semana, quando foi à loja e pediu para revelar. Só havia três fotografias no rolo: duas de Will e Lolly e uma de Luke e June, de pé, na frente do caminhão dele — Luke sorrindo para a câmera e ela, séria, distraída por alguma coisa à esquerda do quadro. Depois, há as matérias de jornal sobre o que veio a seguir, que ela imprimiu na biblioteca, com um computador. Essas matérias, ela não leu nem olhou, mas dobrou com cuidado, quando saíram da bobina da impressora e, mais tarde, guardou-as enfiadas junto com o resto. Não era tudo, mas ela reuniu o máximo que pôde para contar a George a história do filho deles.

Na manhã seguinte à madrugada em que Silas apareceu na sua porta, Lydia foi à biblioteca e sentou-se diante de um computador para ver o que conseguia encontrar. Na busca do Google, digitou as letras que soletravam o nome *George King*, o nome no cartão de visitas que ela guardou durante anos e acabou jogando fora. Guardou-o durante a gravidez, que ela não esperava, mas quando descobriu que já estava com três meses, entendeu quem era o pai. Earl caía inconsciente na cama todas as noites e nem de longe sabia que havia mais de seis meses que os dois não faziam sexo. Nunca um homem esbravejou de satisfação com tanta força quando soube que ia ser pai. Ela deixou que ele fizesse estardalhaço à vontade, mas guardou aquele cartão de visitas, enfiado num cantinho da sua carteira, e esperou a tormenta que estava por vir. Sabia que ia ser terrível, que muito provavelmente ia ficar claro para todo mundo que Earl não era o pai, mas por outro lado ela sabia que havia uma grande possibilidade de ela ficar livre e ter um filho. Aferrou-se àquele cartão de visitas durante o esperado divórcio e nos primeiros anos solitários que se seguiram, sem pensão alimentícia nem apoio da parte de Earl, nenhum apoio de ninguém, a não ser da mãe, e mesmo assim com certa reserva, impondo condições e com uma ponta de desprezo. Muitas vezes Lydia quase telefonou para aquele número. Mas não queria complicar uma vida que ela sabia já estar bem complicada. Até quando Luke começou a nadar e ficou claro que seu filho podia fazer algo melhor do que os outros, que ele seria capaz de se virar por conta própria, um dia, sem a mãe e sem ajuda de um pai que ele jamais conheceu. Foi então que ela rasgou o cartão; o botão de emergência máxima e irremediável, que ela jamais apertou.

George King. Depois de algumas poucas letras tecladas no

computador, ela possuía um endereço, um obituário da esposa dele — câncer, poucos anos depois da estada de George em Wells —, um endereço comercial e um número de telefone, para o qual ligou mais tarde. Depois de três toques, soou um clique, entrou a voz de uma mensagem automática e ela ouviu uma opção que ia confirmar se ele ainda trabalhava lá. *Para George King, tecle 1*, falou a voz genérica. *Para Rick King, tecle 2*. Passaram trinta anos e George King continuava exatamente no mesmo lugar de antes. Trabalhava com o irmão em Atlanta, na Geórgia. Pareceu fácil demais encontrá-lo. Ela deixou a mensagem tocar de novo e teclou 1. Não tinha nenhuma intenção de falar com ele, mas queria ver o que aconteceria. Uma jovem sulista atendeu, animada, *Escritório de George King. Alô?* Com o coração batendo forte, Lydia desligou imediatamente. Depois de mais alguns dedilhados no teclado da biblioteca, fotos apareceram na tela. Ali estava o homem que ela conheceu por menos de três semanas, que lhe fez perguntas, escutou suas respostas e que estava, na época, tão desamparado e assustado quanto ela. Estava bastante parecido com o que era, só que mais corpulento, mais calvo, o grisalho agora dominava o que restara de seu cabelo grosso e bem curto, assim como a barba. Numa das fotos, ele havia ganhado um campeonato de golfe num clube campestre, outra foto mostrava um grupo numa reunião de colégio. As duas fotografias tinham sido tiradas nos três últimos anos. Ela ficou surpresa de vê-lo bonito, alto e respeitado. Na época, tinha seus trinta e poucos anos, era um pai jovem, em pânico diante do futuro — o dinheiro, a esposa, o filho com problemas, o irmão controlador —, mas ali estava ele, como um homem bem-sucedido, próximo de se aposentar. Vestia o tipo de roupa usado pelos homens de Nova York para os quais Lydia trabalhava e, em seus olhos, não havia nada da juventude atemorizada e carente de que ela se lembrava. No entanto, a bondade que ela encontrou quando precisou, isso ela podia ver. Ao olhar aquelas poucas fotografias, os primeiros relances que teve de George King desde sua última manhã no motel Betsy, ela pôde ver a mesma testa alta, o mesmo sorriso largo e as mesmas sobrancelhas finas, quase femininas. Ali estava Luke, se ele tivesse vivido até o fim da meia-idade, o homem que teria envelhecido com June e que um dia, talvez, pensa ela pela primeira vez, teria conhecido o pai. O trato de Lydia com Luke era que iria contar para ele quando fizesse vinte e um anos e, no tempo de criança e na adolescência, aquilo virou uma piada pronta e constante entre os dois. *O Denzel vai querer que eu mude meu nome para Washington quando a gente se conhecer, não é?*, brincava Luke. *Porque isso pode custar alguns dólares para ele. Vai ter de acertar as contas atrasadas de um bom punhado de anos, não acha?*

Aos vinte e um anos de idade, Luke não estava interessado em nada que ela tivesse para dizer e, mais tarde, naquele primeiro ano depois que June reaproximou a vida dos dois, eles andavam pisando em ovos quando se acercavam de assuntos mais sérios. Tomavam todo o cuidado um com o outro, não tinham nenhuma pressa. A *gente chega lá*, disse Lydia para June certa vez, quando ela questionou a demora, *mas agora também não tem por que se apressar, temos a vida inteira para fazer isso.*

Um dia depois de ligar para o escritório de George, Lydia ligou para o 0800 da American Airlines que achou na contracapa de uma revista de viagens que viu na biblioteca e pediu um voo de Hartford, em Connecticut, para Atlanta, na Geórgia. Foi a primeira passagem de avião que ela comprou, era a primeira vez que ia viajar em outro meio de transporte que não um carro.

Três dias depois, chegou à sua caixa de correspondências um envelope com carimbo do correio do estado de Washington. Depois que abriu e leu o curto bilhete de Mimi Landis escrito numa folha de papel do motel Moonstone para avisar onde June estava morando e dar os detalhes dos contatos do local, Lydia telefonou de novo para a companhia aérea. Leu seu número de confirmação no telefone e, quando terminou, perguntou se podia mudar a passagem para ir a outro lugar antes. A mulher impaciente do outro lado da linha perguntou para onde seria e Lydia respondeu: *Seattle, em Washington.*

# June

Lá fora, o oceano bate com estrondo. Ela está vestida, continua com seu casaco de algodão e a cama onde está deitada foi arrumada. Algo a desperta e, quando seu corpo fica tenso, ela abre os olhos por tempo suficiente para reconhecer o quarto, ver a luz muito débil que vem de trás das persianas. *Estou aqui*, pensa ela, e relaxa de novo no colchão. Puxa o travesseiro mais para perto e encolhe as pernas junto ao peito enquanto cai no sono outra vez.

A porta de tela bate com força. É de manhã. A cadeira dobrável de madeira em que ela pegou no sono, agora, está coberta de orvalho. June está úmida, seus ossos doem e ela está de volta. Fica de pé, se espreguiça e sai da tenda para o gramado, onde conheceu Luke, quatro anos antes, quando ele veio para retirar os galhos caídos por causa de uma tempestade tropical, que os espalhou por toda parte. *É uma catástrofe*, disse June naquele dia, e ele parou e disse, achando graça, mas com uma autoridade delicada, como se estivesse falando com uma criança: *Ah, não é tão grave assim. Não é mesmo.* June se lembra de como viu seu rosto pela primeira vez e de como ficou abalada. Como reagiu do mesmo modo como havia reagido, antes, diante de alguma escultura ou instalação ou pintura tão extraordinária e tão comovente que ela não conseguia assimilar por inteiro de uma vez só. Foi a mesma coisa com Luke. Sobrancelha, antebraço, faces, pescoço, lábio inferior, olhos, bíceps, pinta. E a mais linda pele marrom. Ela nunca tinha ficado tão abalada com a aparência física de um homem, antes. Mulheres, em raras ocasiões. Algum contraste entre pele e cabelo e algum ângulo de luz em meio a um origami de tecido e joias. Porém, de camiseta verde desbotada e calça Levi's surrada, aquele homem que tinha vindo retirar galhos caídos apresentava um enigma de osso e pele e olhos que deixou June sem fala. *Ah, não, não chega a ser uma catástrofe*, ela lembra que ele disse mais uma vez, e lembra que, antes de falar, ele sorriu.

Enquanto atravessa o gramado, ela pode ver os dois, tal como eram, parados no meio de uma bagunça de galhos caídos, um momento antes de se conhecerem. Só agora, úmida do orvalho e com o corpo duro do sono estranho, ela se dá conta de como aquele momento foi um lance de sorte muito improvável, como até agora ela encarava aquilo como algo normal; lembrava a chegada de Luke com uma espécie de pesar, experimentava sua permanência na casa como uma ruptura, uma complicação, como se o amor fosse uma inconveniência que, sem ser solicitada, atiravam sobre ela. June recebeu Luke como uma calamidade, e ela estava errada. Ela desperdiçou aquela ocasião e o manteve afastado.

Depois que atravessa metade da distância entre a tenda e a casa, ela tem vontade de chamar Luke com um grito e quase faz isso, mas é cedo e todos ainda estão dormindo. Daqui a pouco, ela vai estar lá dentro, diz para si mesma. Vai atravessar a porta da varanda e entrar na casa — na cozinha, no quarto, na sala, no banheiro, onde quer que ele esteja. Daqui a pouco, ela vai encontrar Luke e, dessa vez, não vai se preocupar nem ficar aborrecida ou impaciente ou assustada.

Ela ouve Luke se movimentando depressa dentro da casa. Ele gritou alguma coisa, mas está longe demais para ela poder ouvir. Parece que é o nome dela.

June vai pedir desculpas. E vai dizer que sim.

# Lydia

A estrada de Aberdeen para Moclips segue colada à praia, mas não se enxerga nada por causa da neblina. A mulher jovem e corpulenta que dirige o táxi disse que ia levar quarenta e cinco minutos, mas, com visibilidade zero, ela reduziu a velocidade até o carro se arrastar e elas já estão na estrada há mais de uma hora. A moça se apresentou como Reese e usa uma bandana marrom em volta do que parece ser uma cabeça toda raspada. O táxi tem cheiro de cigarro e de laranja e Lydia se sente enjoada. Madonna canta um de seus primeiros sucessos, que fala sobre vestir uma pessoa com seu amor, inteiro, inteiro. Será possível que ela tenha ouvido aquela música pela primeira vez há mais de trinta anos? No Tap, com Earl? Depois? Lá fora, o mundo está tão cinzento, branco e sem formas quanto estava na hora em que ela embarcou no ônibus em Seattle, depois de ter pegado um táxi do aeroporto até ali. Nunca passou pela sua cabeça a ideia de alugar um carro até o momento em que Reese perguntou por que não fez aquilo. Lydia se pergunta se todo mundo que viaja de avião aluga um carro quando pousa. Será que sua vida em Wells foi tão isolada que agora ela não tem a menor ideia de como as coisas funcionam no mundo real? Deve ser isso, pensa ela, enquanto passa a mão na parte de cima da mala, onde as pastas com os boletins escolares de Luke, as fotografias e os recortes de jornal estão enfiados no bolsão da frente. A mala é uma que ela comprou um dia antes, no brechó do hospital. Custou três dólares, tem rodinhas, uma alça retrátil e, exceto pelas estrelas gorduchas desenhadas com caneta hidrográfica dourada sobre o tampo, é como se fosse nova. É a primeira mala que ela tem na vida e rolar aquele objeto pelo aeroporto de Hartford lhe deu uma sensação embaraçosa, porém exultante, de representar o papel de uma aeromoça num programa de tevê ou num filme. O motorista do ônibus em Seattle pediu que ela colocasse a mala no compartimento de bagagens, mas ela não quis e disse que ia ficar com ela no colo, se fosse necessário, e foi o que fez durante três horas, enquanto o ônibus lotado sacolejou pelo litoral, até Aberdeen. Como ficou sonolenta no ônibus, teve medo de dormir, receosa de que alguém roubasse sua mala ou furtasse sua bolsa. Mas agora, sozinha no banco traseiro do táxi, com os sons familiares da música juvenil da Madonna dos anos 80, ela cochila e acorda várias vezes. Vê Silas arrastando pedras da mata atrás dos campos perto da casa de June. Coloca as pedras em cima de grandes plásticos azuis impermeáveis, do tipo que as pessoas em Wells usam para cobrir pilhas de madeira, e arrasta as pedras pelo capim alto na direção do terreno incendiado onde ficava a casa. Vê a imensa pilha de pedras grandes que ele acumulou. Deve dar três andares de altura, com uma largura quase igual. Não há dúvida de que há pedras mais do que suficientes para construírem uma casa, mas Silas não está satisfeito e, em cima daquele monte, despeja do plástico azul mais uma leva de pedras e depois volta pelo campo e entra na mata para pegar mais. Lydia chama por ele, mas Silas não pode ouvir. Está determinado e surdo para o mundo, e o plástico azul balança atrás dele, como uma enorme capa, enquanto caminha.

*Está quase chegando,* diz Reese com delicadeza, do banco do motorista. Annie Lennox agora soa quase inaudível nos alto-falantes do carro. Lydia esfrega umas bolinhas de fiapos que se formaram na parte da frente de sua roupa, um vestido preto que ela achou na Caldor's, em Torrington, quase quinze anos antes e que só usou três vezes: na formatura de Luke no ensino médio, no seu interrogatório em Beacon e no seu enterro. Aquela viagem pareceu também algo formal, sério, como as outras ocasiões, por isso ela usou a roupa. Além do mais, é a melhor que possui e ainda existe um desejo de que June a aprove, remanescente das poucas vezes em que se viram. Lydia nunca viu June usar nada mais formal do que jeans, calça esporte cáqui e saia, mas imaginava que ela tivesse levado uma vida chique em Nova York e Londres, com vestidos, joias e sapatos sofisticados. Quanto mais bolinhas de fiapos tira da roupa, mais ela encontra, por isso para e olha pela janela. Faz menos de uma semana que leu o bilhete de Mimi, que começava dizendo: *Cara Lydia. Achamos que você gostaria de saber onde June está morando.* E faz só alguns dias mais que isso que Silas apareceu na porta de sua casa. Se tais eventos tivessem ocorrido com meses ou até semanas de intervalo, talvez ela sentisse menos premência de ver June, talvez tivesse viajado para Washington depois de encontrar-se com George em Atlanta, e não o contrário. Mas, no momento em que Lydia leu e dobrou o bilhete de Mimi, já sabia que a única coisa que importava era encontrar June.

Sabia que, se discasse o número do telefone que estava na folha do bloco do hotel e pedisse para falar com June, correria o risco de perdê-la de novo. A única coisa que podia fazer era aparecer na porta do quarto dela, assim como June tinha feito na porta de sua casa, três anos antes.

Depois que Silas lhe contou o que queria, bem cedo naquele dia, mais do que se sentir aliviada por descobrir que não tinha sido a raiva ou a culpa que, muito provavelmente, haviam levado June a fugir, Lydia sentiu-se envergonhada. Tinha achado que June acreditava no que a maioria das pessoas da cidade acreditava: que a culpa era de Luke. Em seu repúdio e em sua fuga, ela havia imaginado tudo, menos aquilo que ela mais conhecia: a culpa. Saber o que pesava por cima da dor de June fez Lydia sentir-se próxima a ela, mais uma vez. Sabia o que era carregar a responsabilidade de uma catástrofe. Sabia o que era viver com o remorso. Mas o que June carregava agora era algo muito mais pesado; tão pesado que, quando Lydia leu o bilhete de Mimi, soube que precisava partir imediatamente. O que tinha de contar para June não substituiria as perdas, mas esclareceria o que havia ocorrido e a deixaria ciente de que nem ela nem Luke tinham culpa. O fato de Lydia poder fazer aquilo por June lhe dava algo que ela não sentia desde o tempo em que Luke era bebê: um propósito claro, um impetuoso amor protetor, que acelerava a adrenalina e eliminava todas as outras preocupações ou desejos. Ela iria ao encontro de June e nada mais importava.

Reese sai de uma estrada de duas pistas e entra num caminho coberto de areia, curto, que vai dar num estacionamento. A neblina esconde o prédio, e a única coisa que Lydia consegue enxergar são luzes brancas e pálidas dos dois lados de uma porta. Elas brilham como se estivessem debaixo d'água. Quando o táxi para, Lydia tem a sensação de estar chegando a um lugar onde vai permanecer por um bom tempo. Tinha agendado um voo para Atlanta dali a uma semana, mas sabe que não irá para lá tão cedo. George vai continuar lá, como ficou por tantos anos, milagrosamente, e ela vai acabar se encontrando com ele. Nesse intervalo, vai ficar nesse motel enevoado pelo tempo que for necessário.

Depois de pagar o preço da corrida para Reese e se registrar na recepção do motel, uma mulher ruiva de meia-idade diz para Lydia segui-la. Ela rola a mala atrás de si, enquanto as duas caminham pela trilha cimentada junto a um prédio branco de um só andar. Quando param diante de uma porta cinzenta com um número 6 pintado, a mulher da recepção se demora. Lydia não sabe dizer se está sendo protetora ou intrometida ou as duas coisas. Passado um tempo, a mulher vai embora e, ao fazer isso, avisa a Lydia que, se precisar de alguma coisa, ela estará na recepção.

Lydia dá um passo à frente e bate de leve na porta. Não há resposta, nenhum movimento nem som dentro do quarto, por isso bate de novo, agora com força. Um rangido de molas de colchão é seguido por silêncio, depois por um vagaroso tilintar de chaves e o barulho de uma fechadura. A porta abre e ali está ela, June. As pernas de Lydia tremem e ela dá um inesperado suspiro de alívio, como se uma parte dela tivesse acreditado em segredo que havia inventado aquela mulher, que tudo aquilo, a vida que precedera aquele exato momento, fosse algo que tivesse inventado. Mas ali estava June. Prova de algo, muito embora a mulher na porta desse quarto de motel fosse uma versão desbotada daquela que Lydia lembrava. Apesar de estar usando exatamente as mesmas roupas que vestia na última vez que a viu, quando saiu afobada da igreja depois do enterro de Luke, June está quase irreconhecível. Está menor do que qualquer lembrança de Lydia, e vê-la agora é semelhante ao que dizem de ver celebridades em pessoa, como eram reduzidas pela vida real. Os braços ficam parados junto aos flancos do corpo, e ela olha para Lydia, como se tivesse sido apanhada quebrando algo frágil e caro. Afasta-se da porta, recua. Lydia faz força para falar. June, sussurra, quase como se quisesse se convencer da identidade dela. June dá um passo atrás, depois outro e recua um pouco até a quina da cama. Senta, devagar, e puxa um travesseiro branco sobre o colo. Lydia entra no quarto — está meticulosamente limpo, escuro, e parece que ninguém mora ali. Avança até a cama e senta ao lado de June. Sente o cheiro suave de lilás e lembra que perguntou, mais de um ano antes, qual perfume ela usava, e June sorriu e respondeu: *É uma pequena fragrância chamada menopausa.* Aquela June, que de vez em quando, mas não sempre, podia deixar de lado sua seriedade em troca de uma piada, e que também podia fazer o mesmo por Lydia, não se encontrava nem de longe nesse sombrio quarto de motel. A que estava em seu lugar, e que não falou nada desde o momento em que abriu a porta, fica sentada e aperta as pontas de um travesseiro com dedos de unhas cortadas, mas sem os cuidados de uma manicure. Por mais estranho que pareça para Lydia, o silêncio entre elas não é embaraçoso. É um conforto estar tão perto de June, ter encontrado essa mulher e ela não ter fugido. Pela primeira vez, Lydia ouve o barulho do mar. É como se tivessem ligado um aparelho de som estéreo e, dos alto-falantes, ressoasse o estrondo das ondas. Sente o cheiro de maresia e inspira bem fundo. A náusea de antes se foi e, com ela, também o cansaço. Vira-se para June e olha para ela. O cabelo está mais comprido do que tinha visto antes e preso atrás da cabeça com um frouxo nó de cabelos louros ondulados, agora dominados por uma cor prateada nas raízes. Está mais magra, o rosto está abatido e, nos cantos da boca fechada e tensa, rugas franzidas se contorcem e se ramificam na direção do queixo. Lydia tenta lembrar a voz de June outra vez, mas não consegue. Lágrimas começam a cair dos olhos de Lydia, as primeiras desde os dias que antecederam e sucederam o enterro, no ano anterior. Por cima do barulho do mar, Lydia diz, tanto para si mesma quanto para June: *Senti sua falta.* Com cuidado, coloca o braço sobre os ombros magros de June e ambas têm um sobressalto causado pelo contato físico. Faz muito tempo que as duas não são tocadas por ninguém. *Eles se foram,* diz Lydia sem pensar, surpresa ao ouvir as palavras. *Eles se foram*, diz de novo, mais alto, como se dizer aquilo agora, com June, tornasse o fato oficial, finalmente verdadeiro. Durante muito tempo, ficam em silêncio. Por fim, Lydia encontra o banheiro e, quando volta, delicadamente pega a mão de June mais próxima, retira-a do travesseiro e a coloca no seu colo.

Nove meses antes, aquela mesma mão proibiu Lydia de falar, mas agora, ali, Lydia a acaricia com brandura. *Tem tanta coisa que quero dizer para você*, diz, e ao fazê-lo recorda Winton, a única pessoa com quem falou por mais de alguns momentos ao longo de um ano inteiro. Descreve aquele primeiro telefonema, como ela estava consciente e, ao mesmo tempo, como foi burra, e como estava solitária. *Sou uma mulher fraca*, sussurra, e então repete as palavras com suavidade algumas vezes. *Sempre fui.* Quando as palavras saem, ela pode ver o mar através da janela. A última vez que viu ondas numa praia foi quando ela e Earl foram a Atlantic City passar a lua de mel. Essas ondas são mais altas, mais imponentes e fortes. Lydia observa as ondas subirem e desabarem em explosões de espuma branca e, enquanto observa, sente que algo a abandona. Não consegue dar um nome para aquilo, mas esteve sempre com ela e, junto com as palavras que ela acabou de falar, aquilo se foi.

Lydia fica parada e respira no mesmo ritmo de June. Sentadas lado a lado na beirada da cama, Lydia pode sentir a própria mão com a mão de June, úmida de suor, mas nenhuma delas larga a outra. Antes de contar qualquer coisa sobre Silas, lembra-se dele em seu apartamento, uma semana antes, falando tão depressa, sem inspirar, sem dizer coisa com coisa. Teve que passar quase uma hora para que ela conseguisse de fato compreender o que ele, tão ansiosamente, tentava contar. Quando por fim entendeu, ficou furiosa — com ele, por deixar todo mundo pôr a culpa em Luke, por não ter voltado para a casa; com June, por não ter consertado aquele fogão anos antes; e consigo mesma, por nunca ter exigido que June consertasse o fogão, apesar de a própria Lydia ter ficado na frente daquele traste velho muitas vezes, balançando a cabeça quando o fogão se recusava a acender ou a parar de estalar. Todos tinham culpa, pensou ela, tentando se acalmar. Ela e Silas ficaram no sofá durante horas. Lydia se levantou várias vezes para ir para a cama, mas ele não se mexia. Por isso, ficou com ele na sala iluminada, em silêncio. Havia coisas demais para compreender, coisas demais para dizer, por isso ela não disse nada. Por fim, pegou no sono e, quando acordou e viu o garoto enrolado na almofada do sofá, ouviu como ele soluçava. Puxou-o para junto de si, sacudiu seus ombros jovens com delicadeza e disse que não era culpa dele, que não era culpa de ninguém. Lembra os olhos aterrorizados de Silas que procuravam algo no rosto dela. Foi entre meia-noite e o amanhecer, e o dia anterior tinha sido extraordinário, mas nada a deixou mais surpresa do que o que ela experimentou naquele momento: sentiu-se necessária. Era a última coisa que esperava. No meio de uma confusão de lágrimas, muco e bocejos, Silas murmurou mil vezes: *Desculpe*. Depois de um tempo, ele se encolheu no sofá, encostou o queixo no peito e dormiu. Lydia observou seu corpo levantar e baixar no ritmo da respiração, a pele do rosto, ligeiramente espinhenta, agitar-se e torcer-se em resposta ao que quer que estivesse sonhando. Ele era uma pessoa que ela compreendia. Uma pessoa viva, mas destruída. Lydia sabia que não podia fazer nada para trazer seu filho de volta, impedir que virasse qualquer botão que tenha virado ou apertar o botão de qualquer interruptor que tenha apertado naquela manhã, tampouco podia desfazer os erros que ela mesma cometera quando o filho estava vivo, mas talvez pudesse ajudar esse garoto. E com o que Silas tinha acabado de contar para ela, Lydia talvez pudesse fazer o mesmo também por June.

E assim ela foi para lá. *Quero falar com você a respeito de uma pessoa*, diz. June não se mexe, também não dá nenhum sinal de que está escutando. Mesmo assim, Lydia continua. Fala sobre Silas — quem é, quem são seus pais, conta que trabalhou para Luke, como ele a seguiu pela rua e o que ele disse na noite em que apareceu na porta de sua casa. Essa última parte, ela conta devagar, com cuidado, com todos os detalhes que consegue lembrar.

June não reage a nada que Lydia diz, mas quando ela termina de falar, June puxa devagar a mão de Lydia até seu rosto. June estende todos os dedos e aperta a palma da mão contra o rosto. Cobre a mão de Lydia com as mãos e aperta delicadamente, a princípio, e depois com mais força. Ao fazer isso, o tronco e a cabeça de June deslizam para baixo, os pés se encolhem embaixo dela mesma, sobre a cama, a cabeça e os ombros repousam no colo de Lydia. Nenhuma das duas fala. Com a mão livre, Lydia acaricia delicadamente a cabeça de June, afasta alguns fios de cabelo do seu rosto, um por um, e então espalma a mão sobre sua testa limpa. June respira devagar, seu corpo está relaxado e logo ela adormece. Um despertador de plástico marca os segundos com o tique-taque de seu ponteiro azul. Lydia ouve cada segundo.

# Cissy

Eu disse que ia casar as duas e casei. Tinha feito isso duas vezes antes: a primeira, para meu sobrinho e sua namorada de dezenove anos e a outra, para um casal para quem minha irmã Pam vendeu uma casa em Ocean Shores. Rebecca e Kelly viviam juntas fazia bastante tempo, mas agora isso era legal aos olhos do governador; elas queriam o papel. Para mim, tudo bem.

Em comparação com certos casamentos que vi, o de Rebecca e Kelly foi pequeno. Só as duas; a família de Will: Dale, Mimi, Pru e Mike; os irmãos e os sobrinhos de Kelly e alguns primos. June também estava lá. Foi com Lydia, que chegou aqui um mês antes. Ela pousou em Seattle, tomou um ônibus para Aberdeen e pegou um táxi para chegar aqui. Quando vi Kelly acompanhando uma mulher peituda, morena, que rolava sua mala rumo ao quarto 6, entendi na mesma hora quem era. June não me falou muito da mãe de Luke, só que tinha amargado um bocado com homens, inclusive o próprio filho. Uma vez, definiu a mãe de Luke como uma Elizabeth Taylor de cidadezinha do interior, exatamente o que parecia ser aquela mulher que vi andando na direção do quarto 6. Fiquei afastada do quarto de June por alguns dias. Enfim, entrei para fazer a faxina e levar uma garrafa térmica de sopa de ervilha, a única coisa que ela come, fora os saquinhos de amendoim que compra no posto de gasolina.

Quando Ben morreu, fui para a cozinha de minhas irmãs e fiquei lá durante meses. Assava tudo o que encontrava no mercado Swanson's — presuntos, galinhas, perus, costeletas de porco, batatas — o que você imaginar. Fazia pãezinhos, bolinhos e mandava tudo para a barriga; os bolos, as tortas e os biscoitos eu preparava de manhã e comia de noite, depois do jantar. Quando minhas roupas começaram a me apertar e eu não consegui mais abotoar minha calça jeans, pedi para Ellie Hillworth me arranjar um emprego no Moonstone. Ela e o Bud já tinham mais de setenta anos naquela altura e andavam tentando vender o hotel, por isso acharam bom que alguém desse uma mãozinha extra. Fazer faxina nos quartos e levar o lixo para a lixeira me tiraram daquela cozinha, pelo menos entre as nove da manhã e as três da tarde, e depois de um tempo comecei a preparar panelas de sopa nos fins de semana e, de vez em quando, uma leva de biscoitinhos de laranja. Tem sido assim há anos.

Pouco depois de June aparecer no Moonstone, mais morta que viva, pronta para acabar com tudo de uma vez, levei para ela uma garrafa térmica de sopa de abóbora. Nunca perguntei se podia. Só deixei a sopa em cima da cômoda, no quarto dela, com uma colher e uma toalha de papel dobrada, para servir de guardanapo. Ela não tocou na sopa. Também não tocou na sopa de ervilha que deixei ali, uns dias depois. Mas continuei a levar uma garrafa térmica e, depois de um tempo, deu para ver que estava faltando um pouquinho quando pegava a garrafa de volta, na manhã seguinte. Ela nunca voltava vazia, mas, para mim, a parte que não voltava era um sinal; de que, ainda que ela mesma não soubesse disso, estava escolhendo viver.

Por mais que a vida seja brutal, sei no fundo dos ossos que o que se espera de nós é ficar aqui e cumprir nosso papel. Ainda que nosso papel seja tossir até morrer de tanto fumar ou ir pelos ares, ainda jovem, numa casa que explodiu, enquanto a mãe assistia a tudo. E mesmo que nosso papel seja ser essa mãe. Alguém no futuro talvez precise saber que a gente passou por isso. Ou talvez alguém que a gente nem perceba que está chegando vai precisar da gente. Que nem um garoto que pede para a gente deixar que ele ajude a limpar quartos de motel. Ou algum fantasma que cruze nosso caminho, morto de fome. E pessoas boas podem até pedir que a gente case com elas. E pode ser até que a gente nem saiba que papel desempenhou, o que significou para alguém ver a gente ganhar a vida com nosso próprio esforço todos os dias. Talvez alguém ou alguma coisa esteja nos olhando, a todos nós, enquanto abrimos nosso próprio caminho. Não sei se um dia vamos saber por quê. Como o Ben diria sobre quase tudo que me deixava preocupada, isso não é da minha conta.

Alguns dos veteranos por aqui ficaram meio agitados quando Kelly e Rebecca chegaram e deram uma geral no Moonstone. Até minha irmã Pam, que vendeu o motel para elas, torceu o nariz. Mas, como acontece com a maioria das coisas, o que parecia importante e errado, num dia, mal se conseguia lembrar, no dia seguinte. Provavelmente, sempre vai ter gente torcendo o nariz, pessoas que fazem piadinhas sobre as sapatonas do Moonstone ou o garotinho da reserva que gosta de usar os brincos da mãe, ou sobre mim, a piranha mestiça e bastarda que mora com as irmãs. Essas coisas param quando a gente morre e continuam para quem deixamos para trás. A única coisa que podemos fazer é cumprir nosso papel e fazer companhia uns aos outros.

June e Lydia vão ficar aqui pelo tempo de que precisarem. Vou levar sopa para elas tomarem, enquanto voltam para a vida, e de noite vou me deitar no quarto onde fui criada e ouvir minhas irmãs abrindo e fechando portas, dando descarga na privada e subindo a escada. De manhã, vou escutar suas vozes na cozinha e sentir o cheiro do café, antes de abrir os olhos.

Rebecca e Kelly vão usar os anéis que vi as duas colocarem em seus dedos no dia em que casaram. E vão envelhecer juntas. Os Landis vão voltar todo ano. Vou arrumar os quartos para eles e levar biscoitos, pelo tempo que eu puder, e quando não puder mais, eles continuarão a vir, com os filhos e os netos, as namoradas e os namorados e as esposas e os maridos. Vão bater na nossa porta e eu estarei lá, curvada e velha, e um dia vão bater na porta e eu terei partido. E toda vez que vierem, vão contar aos que não conhecem a história do jovem que foi um menino aqui, que foi embora e depois voltou e depois foi embora, que fazia faxina nos quartos e entalhou uma canoa e pintou os rostos de uma família na proa. E as histórias vão mudar e a canoa vai virar uma cabeceira de cama e a família serão sereias e os quartos serão mansões. E ninguém vai se lembrar de nós, quem fomos nem o que aconteceu aqui. A areia vai ser soprada pela Pacific Avenue e voar de encontro às janelas do Moonstone, e vão chegar pessoas novas e vão andar pela praia até o grande oceano. Estarão apaixonadas, ou perdidas, e não vão saber o que dizer. E, para elas, as ondas vão soar como soaram para nós, quando as ouvimos pela primeira vez.

# Agradecimentos

Por muito mais do que pode ser dito aqui, muitos agradecimentos a Jennifer Rudolph Walsh, Raffaella De Angelis, Tracy Fisher, Cathryn Summerhayes, Karen Kosztolnyik, Jennifer Bergstrom, Louise Burke, Wendy Sheanin, Carolyn Reidy, Jennifer Robinson, Michael Selleck, Lisa Litwack, Paula Amendolara, Charlotte Gill, Becky Prager, Chris Clemans, Jillian Buckley, Kassie Evashevski, Martine Bellen, John Gall, Kim Nichols, Sean Clegg, Emma Sweeney, Adam McLaughlin, Cy O'Neal, Jill Bialosky, Susannah Meadows, Stacey D'Erasmo, Sarah Shun-lien Bynum, Heidi Pitlor, Pat Strachan, Isabel Gillies, Courtney Hodell, Jean Stein, Robin Robertson, Luiz Schwarcz, Kimberly Burns, Alan Shapiro, por escrever um magnífico poema, e Haven Kimmel, por selecionar as seis palavras que plantaram a semente, há tantos anos.

ESTA OBRA FOI COMPOSTA PELO GRUPO DE CRIAÇÃO EM ELECTRA E
IMPRESSA PELA RR DONNELLEY EM OFSETE SOBRE PAPEL PÓLEN SOFT
DA SUZANO PAPEL E CELULOSE PARA A EDITORA SCHWARCZ
EM MAIO DE 2016